MICHAEL LANGER

MEIN GITARREN BUCH

20 KOMPOSITIONEN ZUM THEMA AKKORDZERLEGUNG

SEHR LEICHT BIS LEICHT

BAND 1

Impressum:

D 834 / ISMN 979-0-50017-384-7 / ISBN 978-3-86849-242-2
Layout und Notensatz: Michael Langer
Umschlaggestaltung: Gerhard Illig Kommunikation, Erlangen

CD:
Valentin Langer: Recording & Editing
Michael Langer: Gitarre

www.dux-verlag.de

Michael Langer

Michael Langer spielt sowohl klassische Gitarre als auch Fingerstyle. Zu Beginn seiner Karriere gewann er den Wettbewerb des „American Fingerstyle Guitar Festival" und wurde von der US-Zeitschrift „Guitar Player" als bester „Acoustic Fingerstyle-Gitarrist" ausgezeichnet.

Heute ist er Univ. Prof. für klassische Gitarre an der Anton Bruckner Privatuniversität in Linz und am Konservatorium Wien Privatuniversität und spielt seit 25 Jahren Konzerte in vielen Ländern Europas, in den USA und in China.
Langer ist Autor zahlreicher Publikationen, die in mehrere Sprachen übersetzt international erschienen sind, und wirkt auch als vielbeschäftigter Dozent von Meisterkursen und Fortbildungsveranstaltungen.

Mehr Informationen über CDs, Bücher, Konzerte und Workshops auf seiner Homepage:
www.michaellanger.at

Ganz herzlichen Dank an
Sabine, Eva, Clara, Anna
Gerhard und Uwe vom Dux-Verlag.

Für Rosa

Zeichenerklärung

Die **Finger der linken Hand** werden mit **Ziffern** abgekürzt (in der Tabulatur stehen diese Fingersatzbezeichnungen über dem Tabulatursystem, im Notentext vor der Note):

1 = Zeigefinger
2 = Mittelfinger
3 = Ringfinger
4 = Kleiner Finger

Die **Finger der rechten Hand** werden mit **Buchstaben** abgekürzt (in der Tabulatur stehen diese Fingersatzbezeichnungen unter dem Tabulatursystem, im Notentext über oder unter der Note):

p = Daumen (spanisch: pulgar)
i = Zeigefinger (spanisch: indice)
m = Mittelfinger (spanisch: medio)
a = Ringfinger (spanisch: anular)

Schwierigkeitsgrad

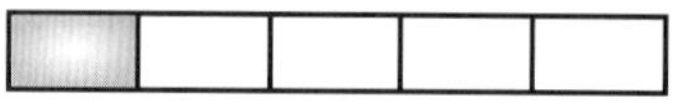 = sehr leicht

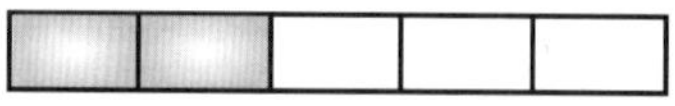 = leicht

 = mittelschwer

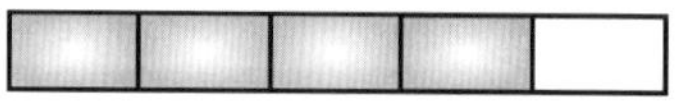 = schwer

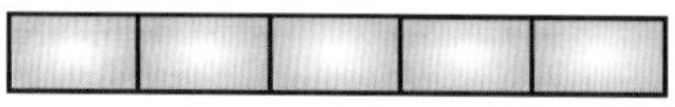 = sehr schwer

Einleitung

„Mein Gitarrenbuch“ Band 1 und 2 mit je 20 Solostücken führt dich behutsam von der Liedbegleitung in die Welt der gitarristischen Sololiteratur.

Die beiden Bände sind nach Schwierigkeitsgrad geordnet:
Band 1: sehr leicht - leicht
Band 2: leicht

Band 1
geht von der aufgeschriebenen Liedbegleitung aus: Die linke Hand greift Akkorde, die rechte Hand spielt ein durchgehendes Zupfmuster.
Dieser Ansatz wird dann langsam erweitert durch das Hinzufügen
von einzelnen Tönen zu den Akkorden,
von Melodielinien zu den Zerlegungen und
von leichten Variationen zu den Zupfmustern.

Immer bleibt jedoch die Struktur des Stückes eindeutig erkennbar.

„Mein Gitarrenbuch“ Band 1 liefert neue Ideen für kreatives Gitarrenspiel:
Am Ende jedes Liedes wird eine zum Stück passende „gitarristische“ Idee angesprochen und sowohl musikalisch wie technisch an Hand von Beispielen aus dem Notentext erläutert.
So versteht sich „Mein Gitarrenbuch“ auch als Ideengeber von 20 Tipps und Tricks, die dein klassisches Gitarrenspiel bereichern werden.

„Mein Gitarrenbuch“ Band 1 liefert neue Ideen für kreatives Begleiten:
Über jedem Takt steht das dazugehörige Akkordsymbol.
Die Bezeichnungen der Akkorde beziehen sich nur auf die Grundtypen in gängiger Akkordsymbolschrift - Umkehrungen, Mollseptakkorde, Alterationen, Erweiterungstöne, Optionen, Vorhalte usw. notieren wir bewusst nicht, um die leichte Lesbarkeit der Akkordsymbole zu erhalten.
Der Grundakkord ist sofort über den aufgeschriebenen Noten zu sehen. Auf diese Art ist es einfach, die vielen Variationen mit den bekannten Akkorden zu verbinden.
So versteht sich „Mein Gitarrenbuch“ auch als Ideengeber für pfiffige Akkordmodelle, die deine Liedbegleitungen bereichern werden.

Alle 20 Kompositionen von Band 1 wurden von mir auf der beigelegten CD vollständig eingespielt.

Ich hoffe sehr, dass „Mein Gitarrenbuch“ viel Freude bereiten und neue Ideen beim Spielen liefern kann!

Michael Langer
(Wien, im Oktober 2013)

Inhaltsverzeichnis

Mein Garten am Nil

Michael Langer

Zufrieden

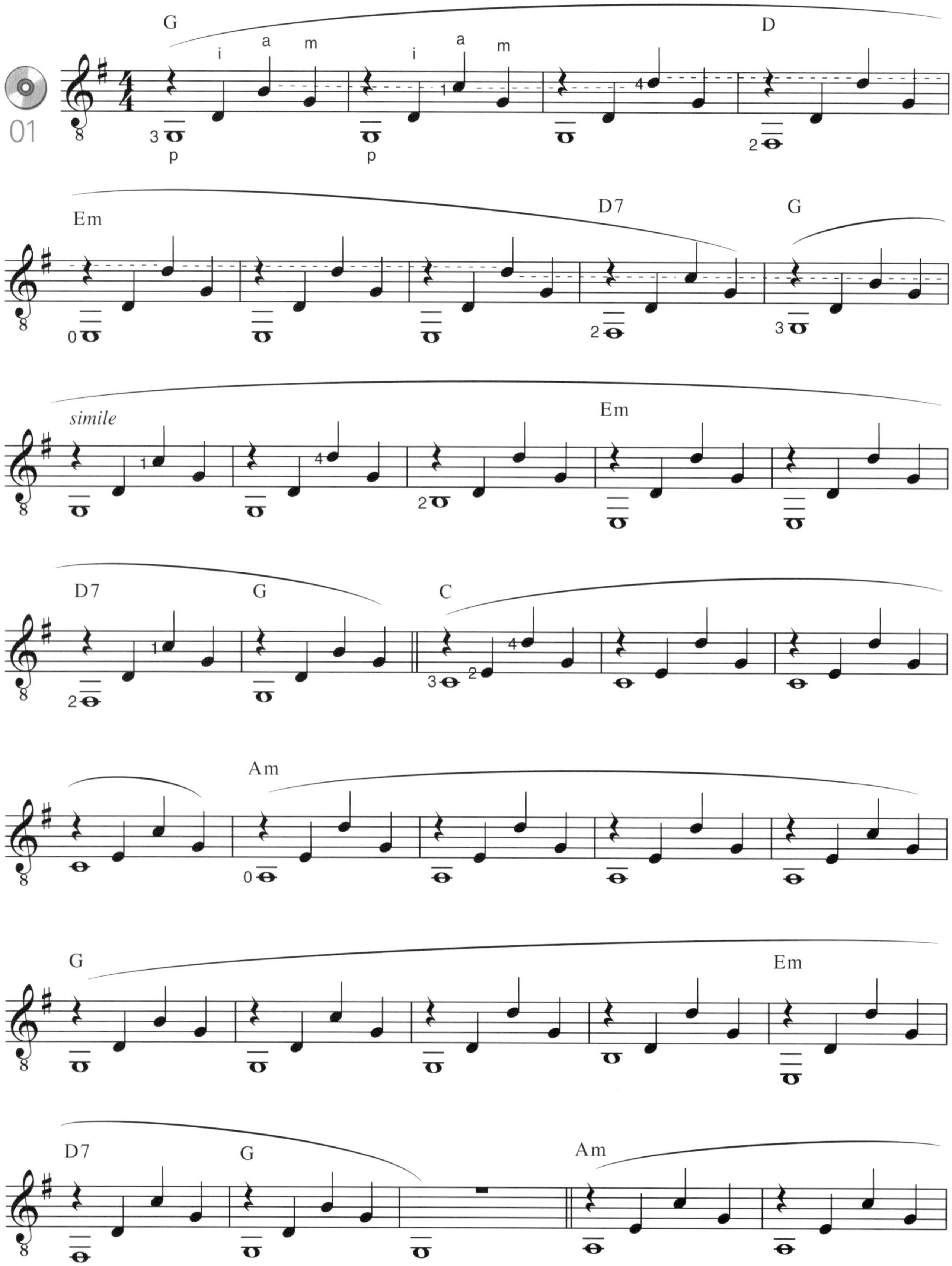

„Mein Garten am Nil"
Durchgehend vierstimmige Zerlegung: p-i-a-m

In einem sehr angenehmen Traum war ich einmal Besitzer eines überaus blühenden Gartens am Nil. Um eine ähnlich zufriedene Ruhe wie in meinem Traum in das Stück zu bringen, verbinde die Akkorde so gut es geht zu großen Bögen.
Hilfe: Alle Töne, die zwischen zwei Akkorden gleich bleiben, sollen weiterklingen. In der Oberstimme, die hier immer vom Ringfinger gespielt wird, soll sich eine durchgehende, ruhige Melodielinie ergeben.
Der musikalische Weg dorthin ist, diese Töne innerlich weiterzusingen bzw. weiterzuhören.
Der technische Weg dorthin ist, die betreffenden Finger liegenzulassen (beachte die waagrechten strichlierten Linien zwischen den Melodietönen).

Mein Garten am Nil

Michael Langer

Zufrieden

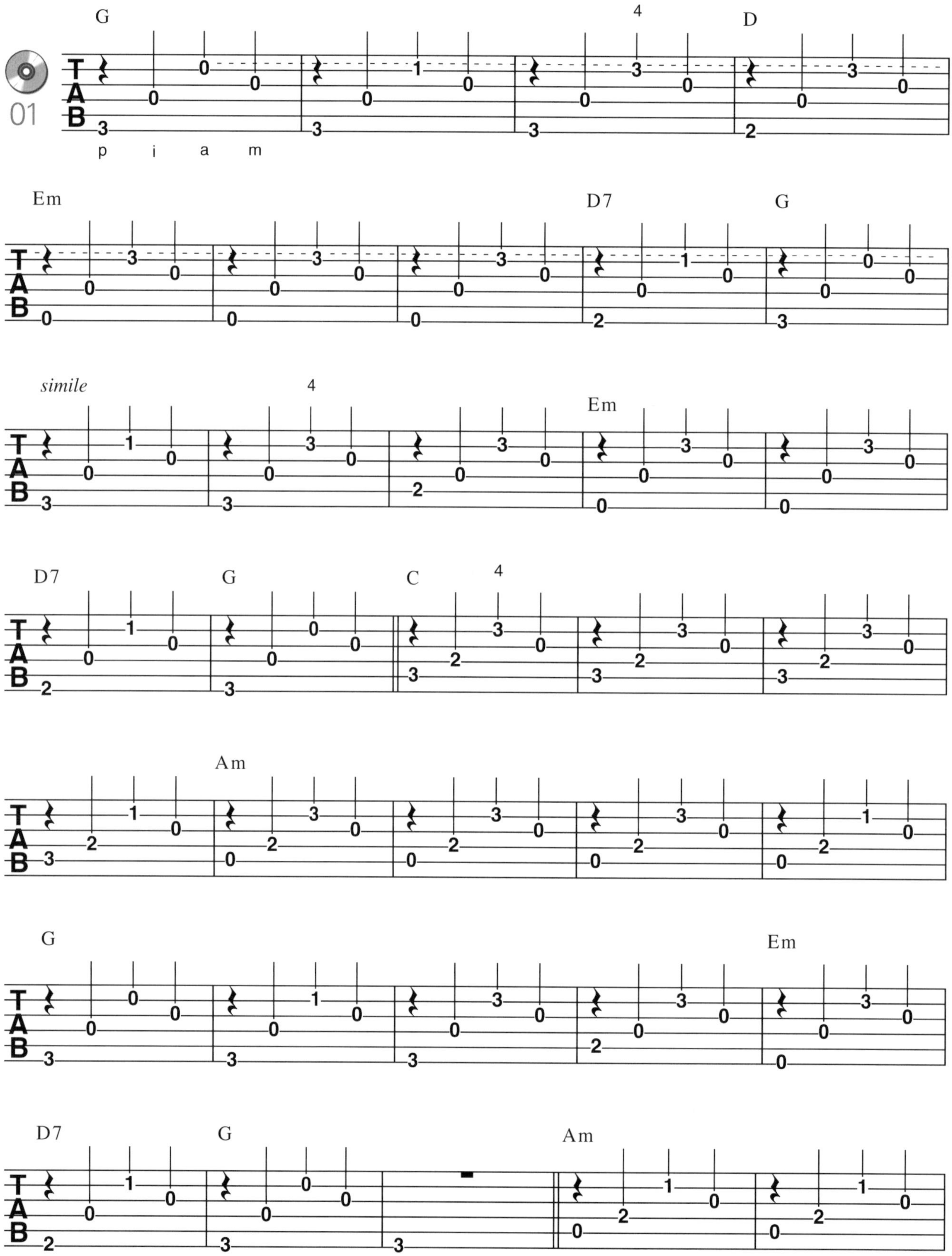

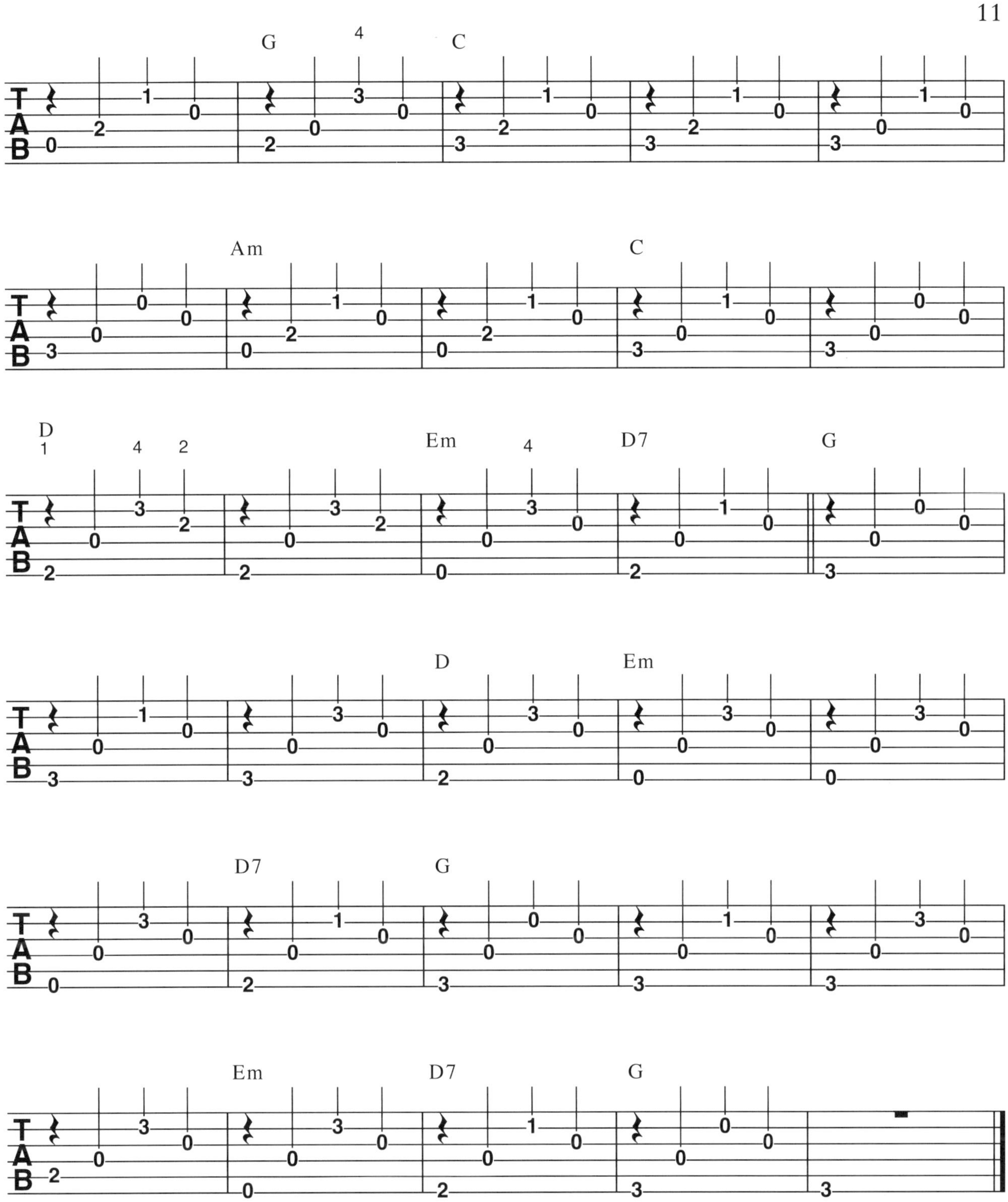

„Mein Garten am Nil"
Durchgehend vierstimmige Zerlegung: p-i-a-m

In einem sehr angenehmen Traum war ich einmal Besitzer eines überaus blühenden Gartens am Nil. Um eine ähnlich zufriedene Ruhe wie in meinem Traum in das Stück zu bringen, verbinde die Akkorde so gut es geht zu großen Bögen.
Hilfe: Alle Töne, die zwischen zwei Akkorden gleich bleiben, sollen weiterklingen. In der Oberstimme, die hier immer vom Ringfinger gespielt wird, soll sich eine durchgehende, ruhige Melodielinie ergeben.
Der musikalische Weg dorthin ist, diese Töne innerlich weiterzusingen bzw. weiterzuhören.
Der technische Weg dorthin ist, die betreffenden Finger liegenzulassen (beachte die waagrechten strichlierten Linien zwischen den Melodietönen).

Il Palagio

Michael Langer

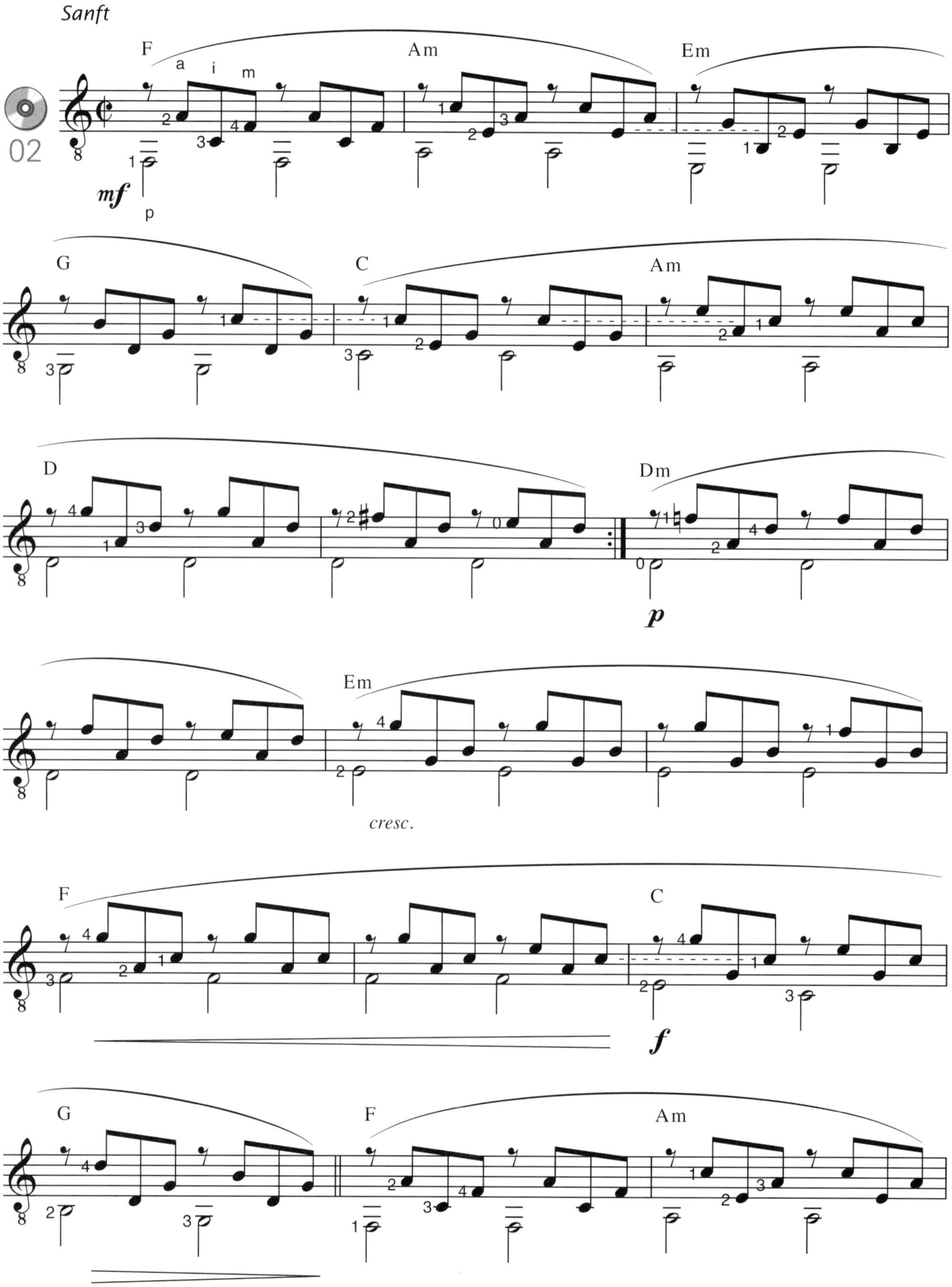

„Il Palagio"
Durchgehend vierstimmige Zerlegung: p-i-a-m

Inspiration für dieses Lied waren die Hügel der Toskana: alle grün, in ganz unterschiedlicher Intensität, von dunkel- bis hellgrün.

Die 4- oder 8-taktigen Akkordzerlegungen innerhalb eines Bogens sollen ebenso unterschiedliche Intensität haben: Es ist immer ein Wechselspiel von Spannung und Entspannung - versuche dich da hineinzuhören.
Dort wo du eine Zunahme von Spannung spürst, kannst du lauter werden, ein wenig vorwärts drängen, deutlicher anschlagen - bei Entspannung leiser werden, leicht zögern usw.

Wie immer gilt: gleichbleibende Töne beim Akkordwechsel liegen lassen!

Il Palagio

Michael Langer

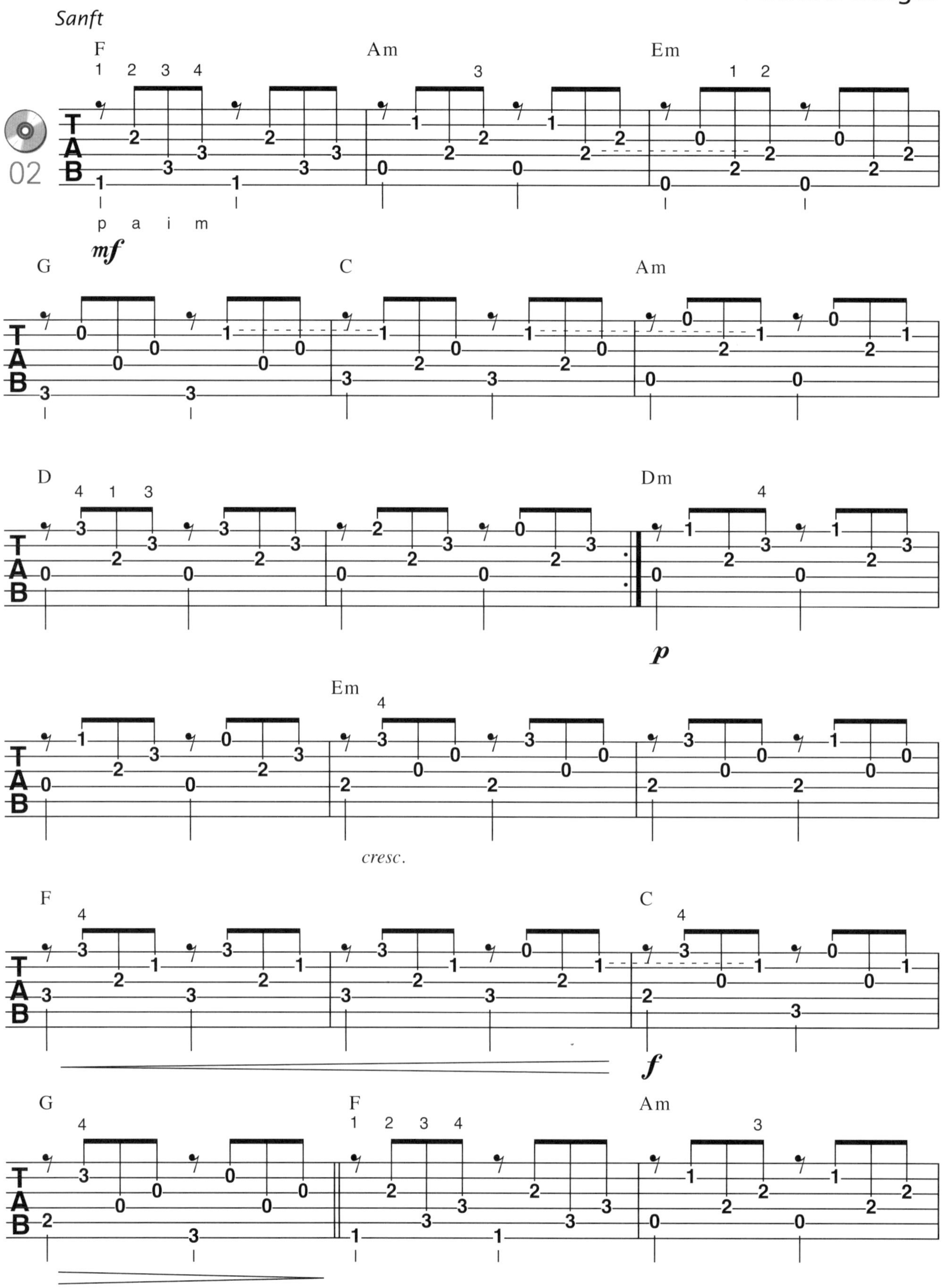

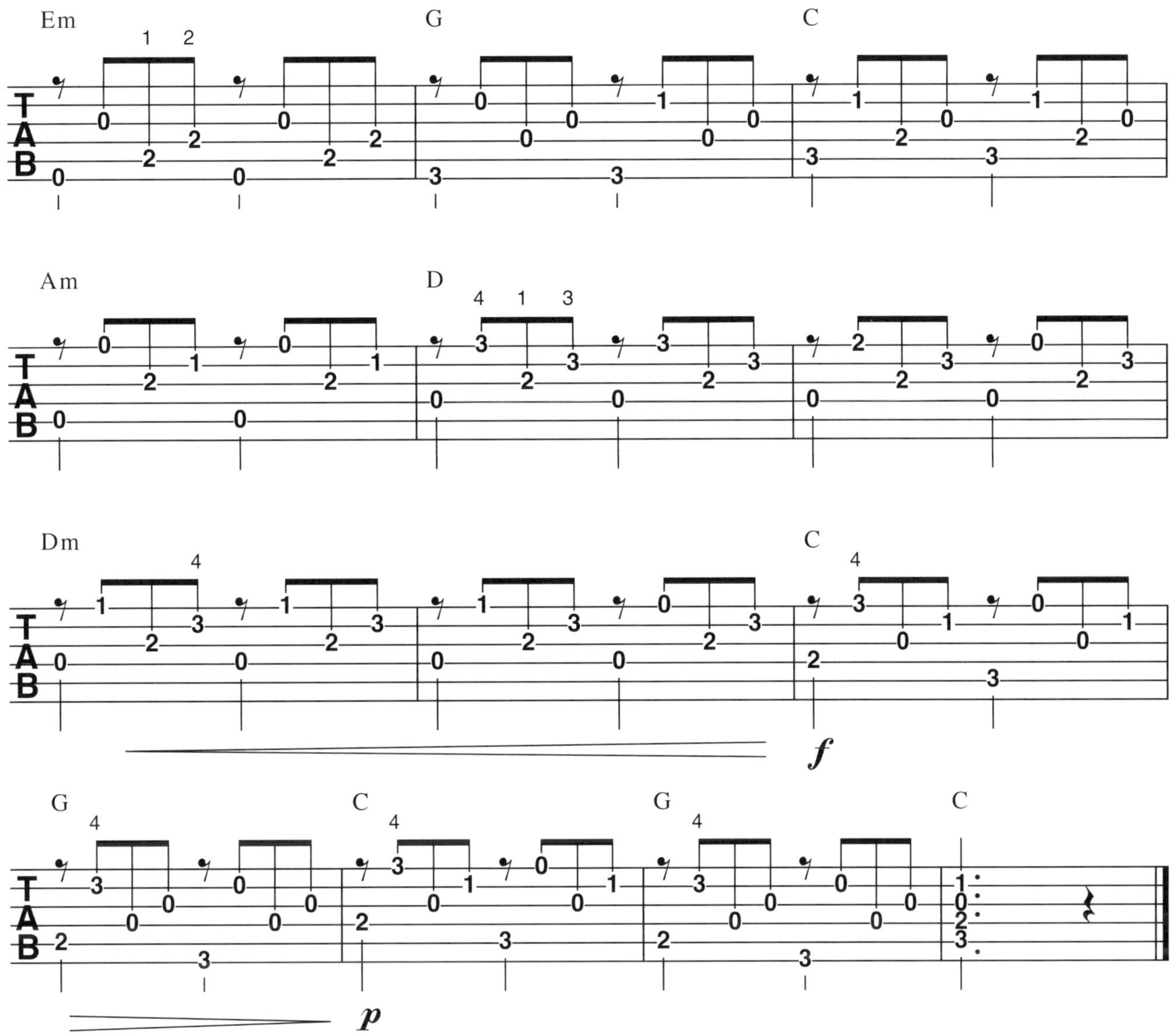

„Il Palagio“
Durchgehend vierstimmige Zerlegung: p-i-a-m

Inspiration für dieses Lied waren die Hügel der Toskana: alle grün, in ganz unterschiedlicher Intensität, von dunkel- bis hellgrün.

Die 4- oder 8-taktigen Akkordzerlegungen innerhalb eines Bogens sollen ebenso unterschiedliche Intensität haben: Es ist immer ein Wechselspiel von Spannung und Entspannung - versuche dich da hineinzuhören.
Dort wo du eine Zunahme von Spannung spürst, kannst du lauter werden, ein wenig vorwärts drängen, deutlicher anschlagen - bei Entspannung leiser werden, leicht zögern usw.

Wie immer gilt: gleichbleibende Töne beim Akkordwechsel liegen lassen!

Ein guter Traum

Michael Langer

Fröhlich

„Ein guter Traum“
Durchgehend vierstimmige Zerlegung: p-m-i-a-p-m-i

Um den gewünschten fröhlichen Folk-Picking-Charakter in dieses Stück zu bringen, sollte die Note auf Zählzeit 2+ (mit dem Ringfinger gespielt) als Synkope gespürt werden. Eine Synkope muss man gut vorbereiten und dann passieren lassen. Sie entsteht immer aus der Bewegung heraus und „blüht“ auf zur folgenden geraden Zählzeit.

Eine gute Methode, nicht nur die Synkopen, sondern alle Töne gut vorzubereiten und rhythmisch genau zu setzen, ist die Schalterbewegung (Erklärung Seite 33).

Ein guter Traum

Michael Langer

Fröhlich

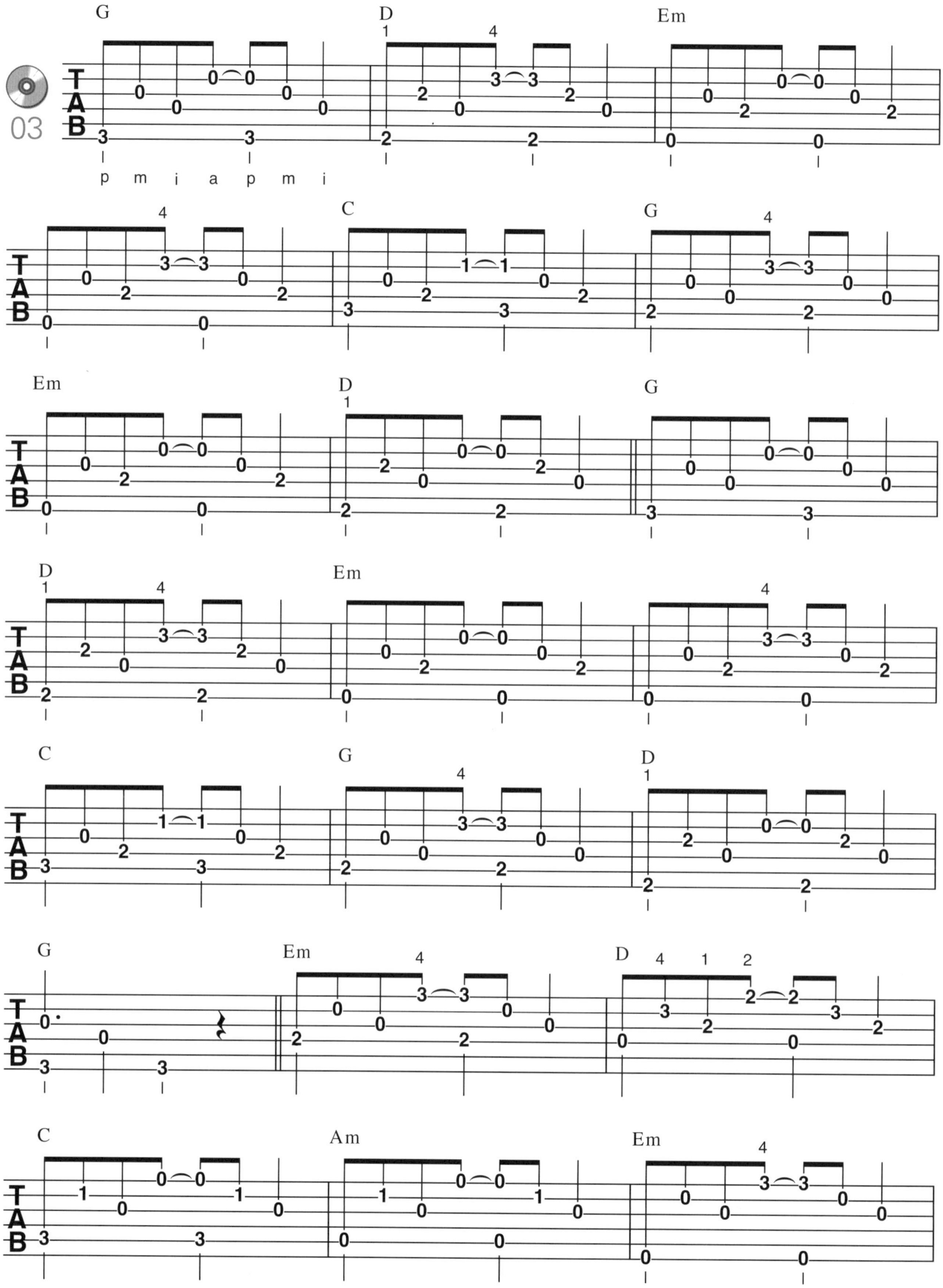

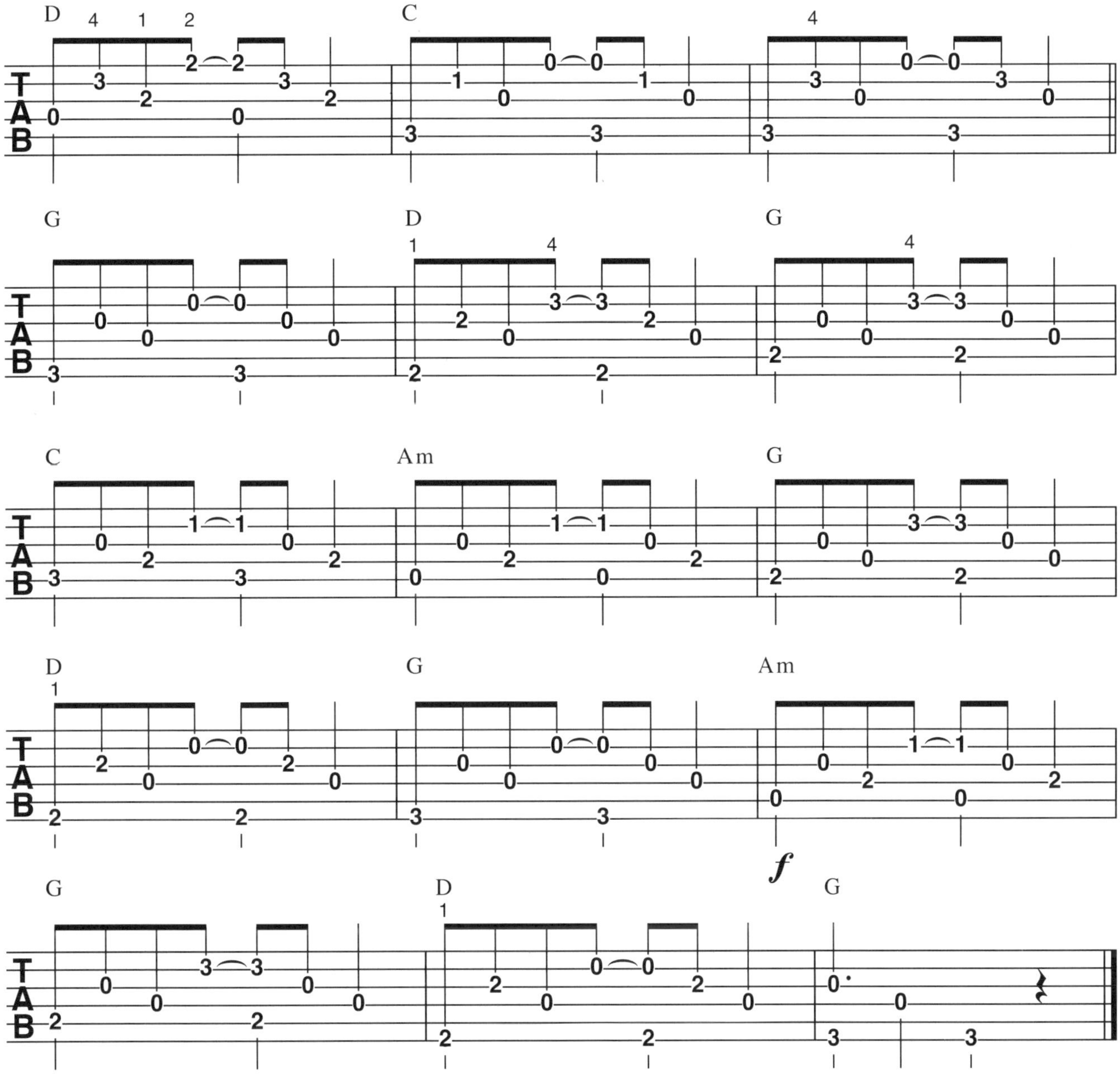

„Ein guter Traum"
Durchgehend vierstimmige Zerlegung: p-m-i-a-p-m-i

Um den gewünschten fröhlichen Folk-Picking-Charakter in dieses Stück zu bringen, sollte die Note auf Zählzeit 2+ (mit dem Ringfinger gespielt) als Synkope gespürt werden. Eine Synkope muss man gut vorbereiten und dann passieren lassen. Sie entsteht immer aus der Bewegung heraus und „blüht" auf zur folgenden geraden Zählzeit.

Eine gute Methode, nicht nur die Synkopen, sondern alle Töne gut vorzubereiten und rhythmisch genau zu setzen, ist die Schalterbewegung (Erklärung Seite 33).

Die Rede des Königs

Stolz und überzeugend

Michael Langer

„Die Rede des Königs“
Durchgehend vierstimmige Zerlegung: a-m-i-p | a-m-i (zweitaktiges Pattern)

In diesem Stück kommen viele ähnliche 4-Taktgruppen vor, ähnlich wie in einer Rede, wenn man eine wichtige Botschaft mehrmals (nur leicht geändert) wiederholt.
In der Musik kannst du den unterschiedlichen Tonfall rein durch deine innerliche Vorstellungskraft variieren. Vorschläge: „besorgt“, „erklärend“, „beschwichtigend“, „hoffnungsvoll“ usw.
Du wirst merken, allein durch diese Idee ändern sich viele musikalische Parameter wie Lautstärke, Anschlagskraft, Artikulation, Klangfarbe so subtil, wie man es in musikalischen Anweisungen nie notieren könnte - und die Musik wird lebendig!

Die Rede des Königs

Michael Langer

Stolz und überzeugend

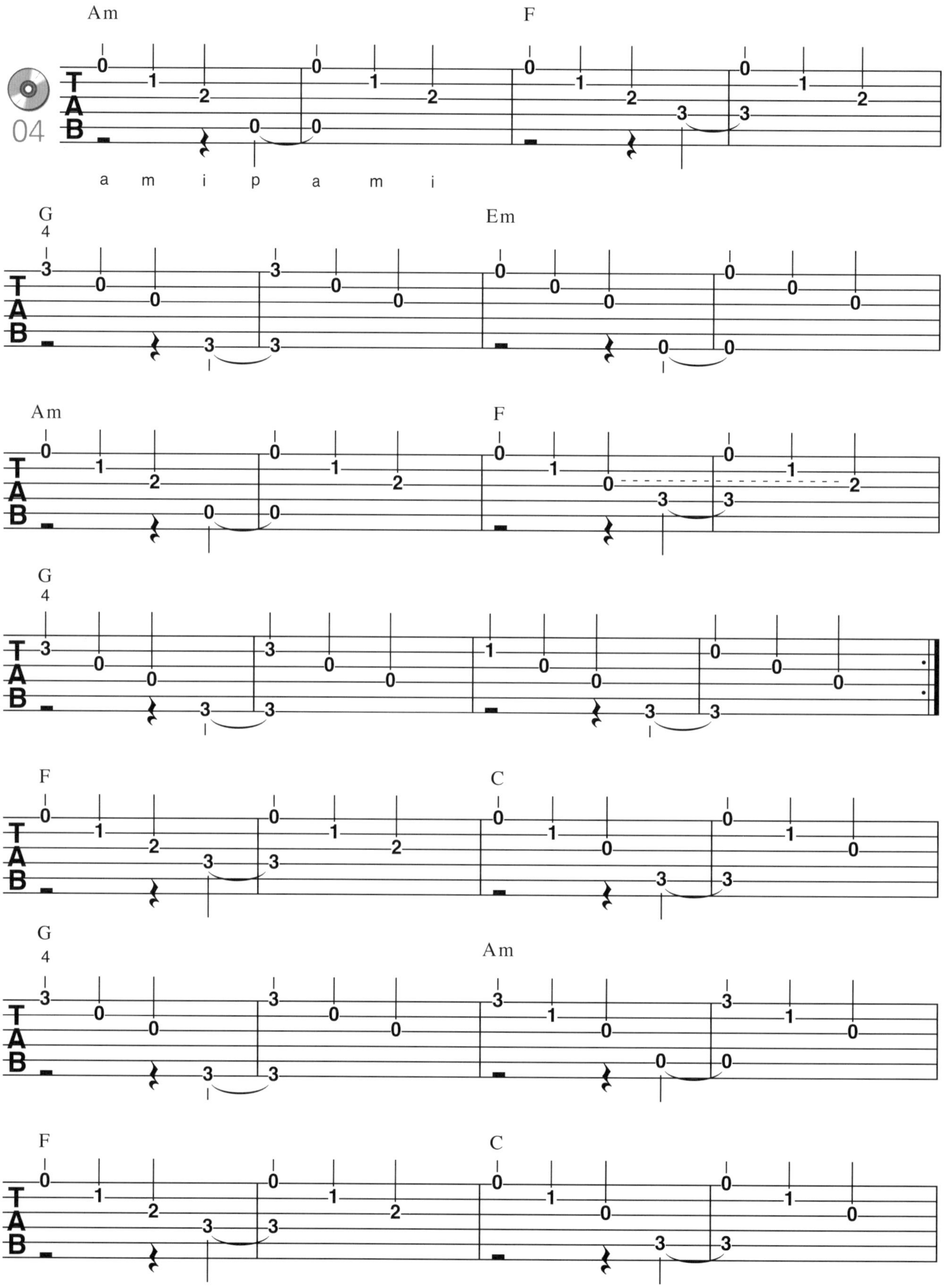

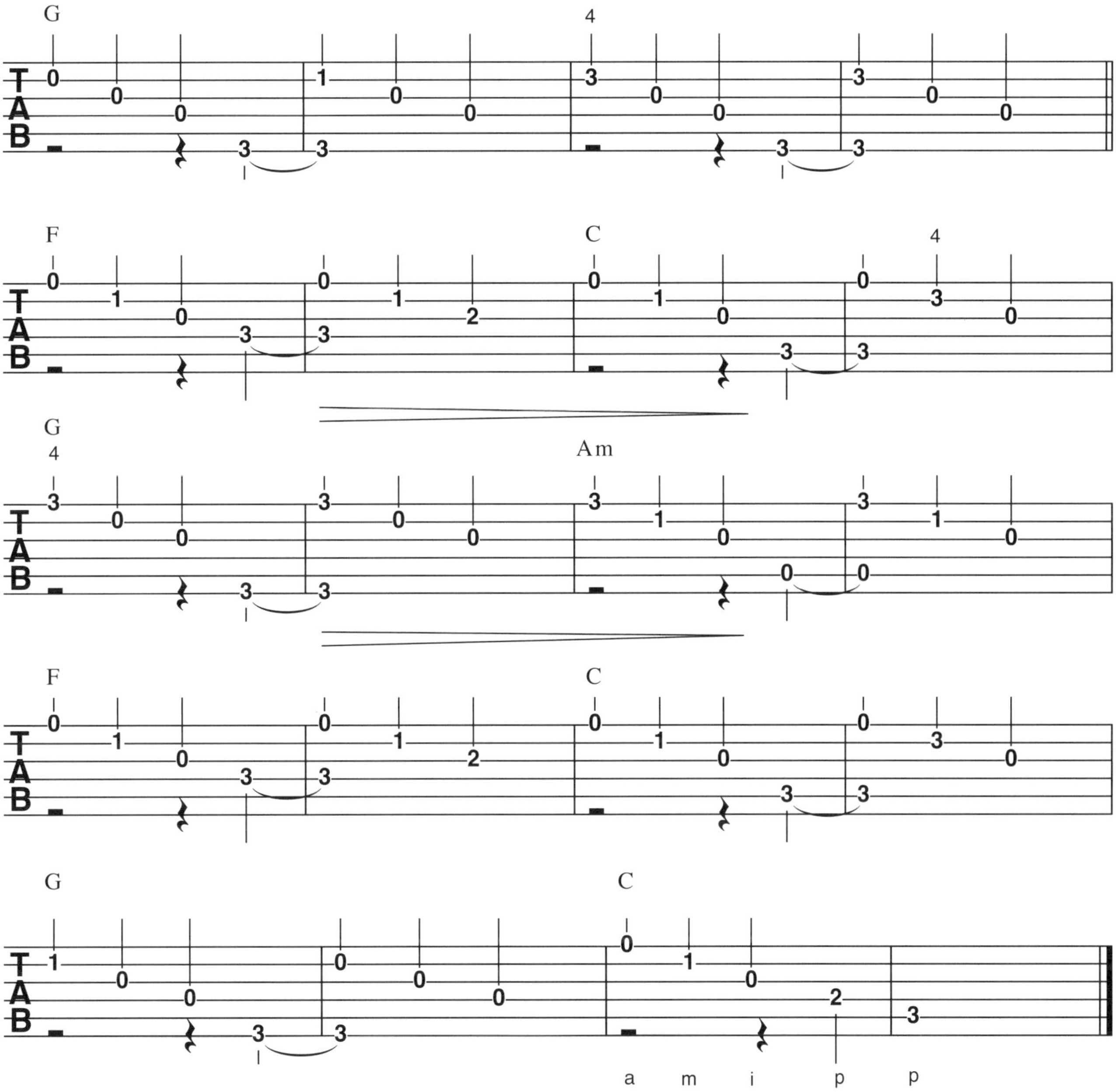

„Die Rede des Königs“
Durchgehend vierstimmige Zerlegung: a-m-i-p | a-m-i (zweitaktiges Pattern)

In diesem Stück kommen viele ähnliche 4-Taktgruppen vor, ähnlich wie in einer Rede, wenn man eine wichtige Botschaft mehrmals (nur leicht geändert) wiederholt.
In der Musik kannst du den unterschiedlichen Tonfall rein durch deine innerliche Vorstellungskraft variieren. Vorschläge: „besorgt“, „erklärend“, „beschwichtigend“, „hoffnungsvoll“ usw.
Du wirst merken, allein durch diese Idee ändern sich viele musikalische Parameter wie Lautstärke, Anschlagskraft, Artikulation, Klangfarbe so subtil, wie man es in musikalischen Anweisungen nie notieren könnte - und die Musik wird lebendig!

Don’t Be Shy

Michael Langer

„Don’t Be Shy“
Vierstimmige Zerlegung: p-i-m-a
Variation: p-i-m-a-m-i

„Don’t Be Shy“ steht im 3/4-Takt, man zählt also: 1+ 2+ 3+
Um einen Takt tänzerisch zu gestalten, muss man sich nur daran erinnern, dass jeder Taktschlag eine bestimmte Gewichtung hat.
In diesem 3/4-Takt gehört ganz sicher ein Schwerpunkt auf die Zählzeit 1 gesetzt, die 2 bleibt leicht und leise, die 3 und auch die 3+ ziehen wie ein Auftakt zur nächsten 1.

„Don't be shy“: Du kannst dich beim Spielen ruhig mitbewegen, um diesen Schwung zu spüren. Besonders das Setzen eines Schwerpunkts verlangt direkt ein körperliches Mitspüren!
Auch Mitzählen kann eine Hilfe sein: Auf die Zählzeit 3+ zähle ich drei-e statt drei-und. Die Silbe -e kann man beim Sprechen leichter zur nächsten Zahl hinziehen und so lassen sich auch die gebundenen Töne hin zur nächsten 1 besser spüren.

Don't Be Shy

Michael Langer

Tänzerisch

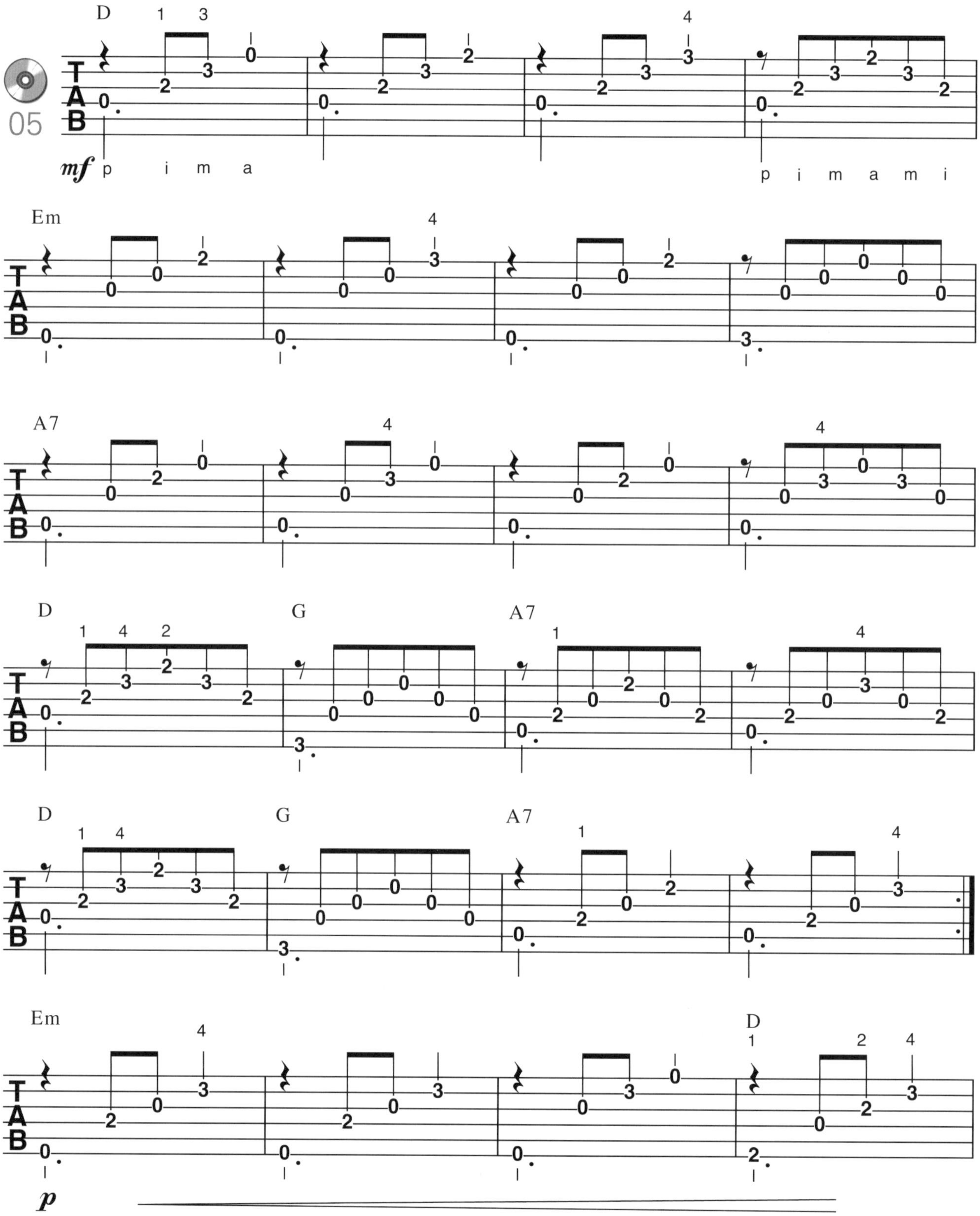

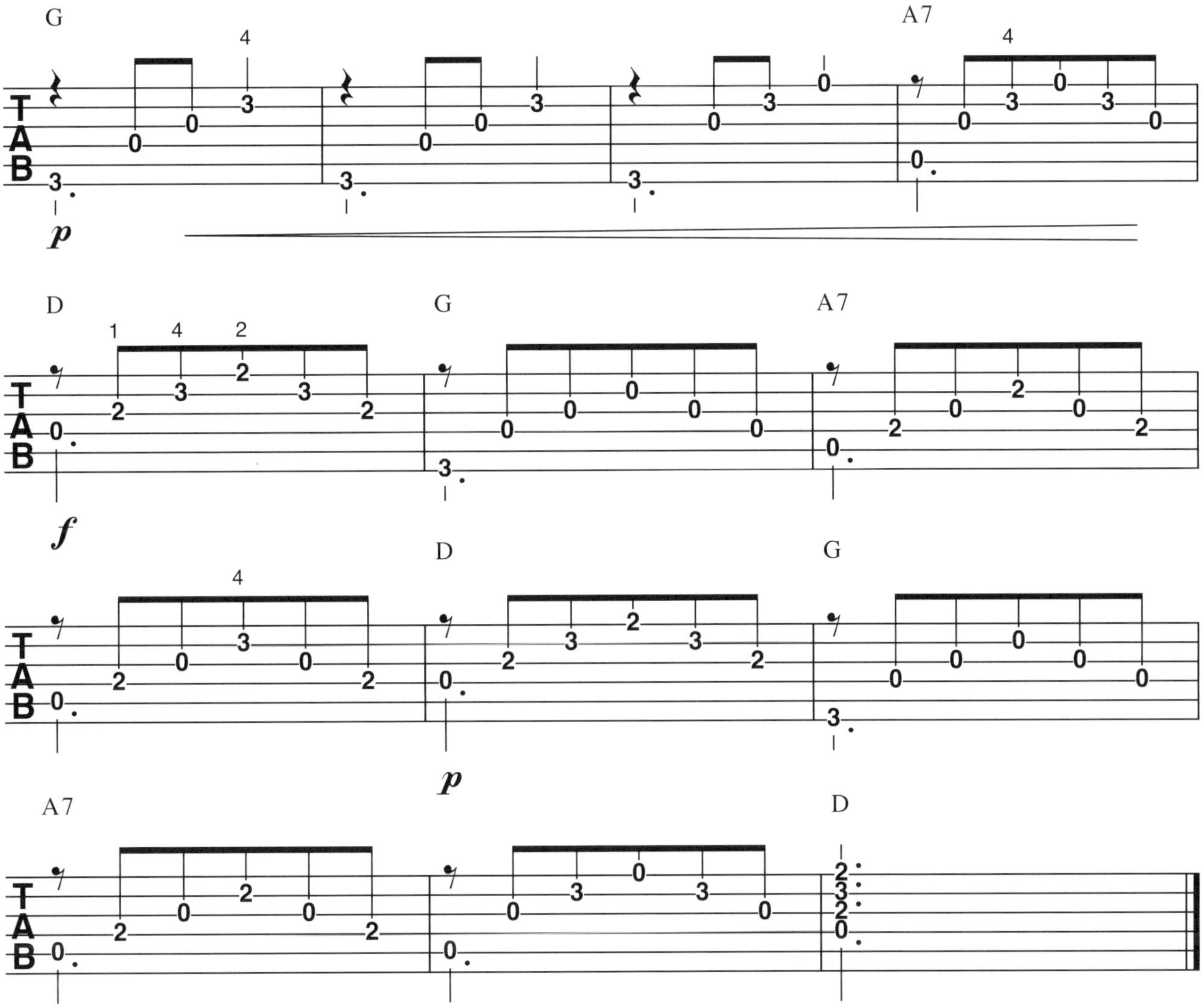

„Don’t Be Shy“
Vierstimmige Zerlegung: p-i-m-a
Variation: p-i-m-a-m-i

„Don’t Be Shy“ steht im 3/4-Takt, man zählt also: 1+ 2+ 3+
Um einen Takt tänzerisch zu gestalten, muss man sich nur daran erinnern, dass jeder Taktschlag eine bestimmte Gewichtung hat.
In diesem 3/4-Takt gehört ganz sicher ein Schwerpunkt auf die Zählzeit 1 gesetzt, die 2 bleibt leicht und leise, die 3 und auch die 3+ ziehen wie ein Auftakt zur nächsten 1.

„Don't be shy“: Du kannst dich beim Spielen ruhig mitbewegen, um diesen Schwung zu spüren. Besonders das Setzen eines Schwerpunkts verlangt direkt ein körperliches Mitspüren!
Auch Mitzählen kann eine Hilfe sein: Auf die Zählzeit 3+ zähle ich drei-e statt drei-und. Die Silbe -e kann man beim Sprechen leichter zur nächsten Zahl hinziehen und so lassen sich auch die gebundenen Töne hin zur nächsten 1 besser spüren.

Die Wolken ziehen ab

Michael Langer

Sehnsüchtig

„Die Wolken ziehen ab“
Vierstimmige Zerlegung: p-i-m-a-p-i-m-i | p(a)-i-m-i-p(a)-i-m-i (zweitaktiges Pattern)
Der Ringfinger a im zweiten Takt wird nicht immer gespielt.

Wie Wolken ziehen in diesem Stück die Harmonien vorbei. Je kleiner und ruhiger die Bewegungen bei den Akkordwechseln ausgeführt werden, desto schöner fließen die Töne ineinander.

Für dieses und eigentlich für alle Stücke mit Akkordzerlegungen gilt: Stelle fest, welche Töne die aufeinanderfolgenden Akkorde gemeinsam haben. Technisch gesprochen: Welche Finger können liegenbleiben, welche müssen wohin bewegt werden?
So lernt man Akkorde nicht als vertikales Ereignis zu sehen, das mit dem Umgreifen beendet wird, sondern als horizontales „Erlebnis“, das immer in den nächsten Akkord übergeht.

Die Wolken ziehen ab

Michael Langer

Sehnsüchtig

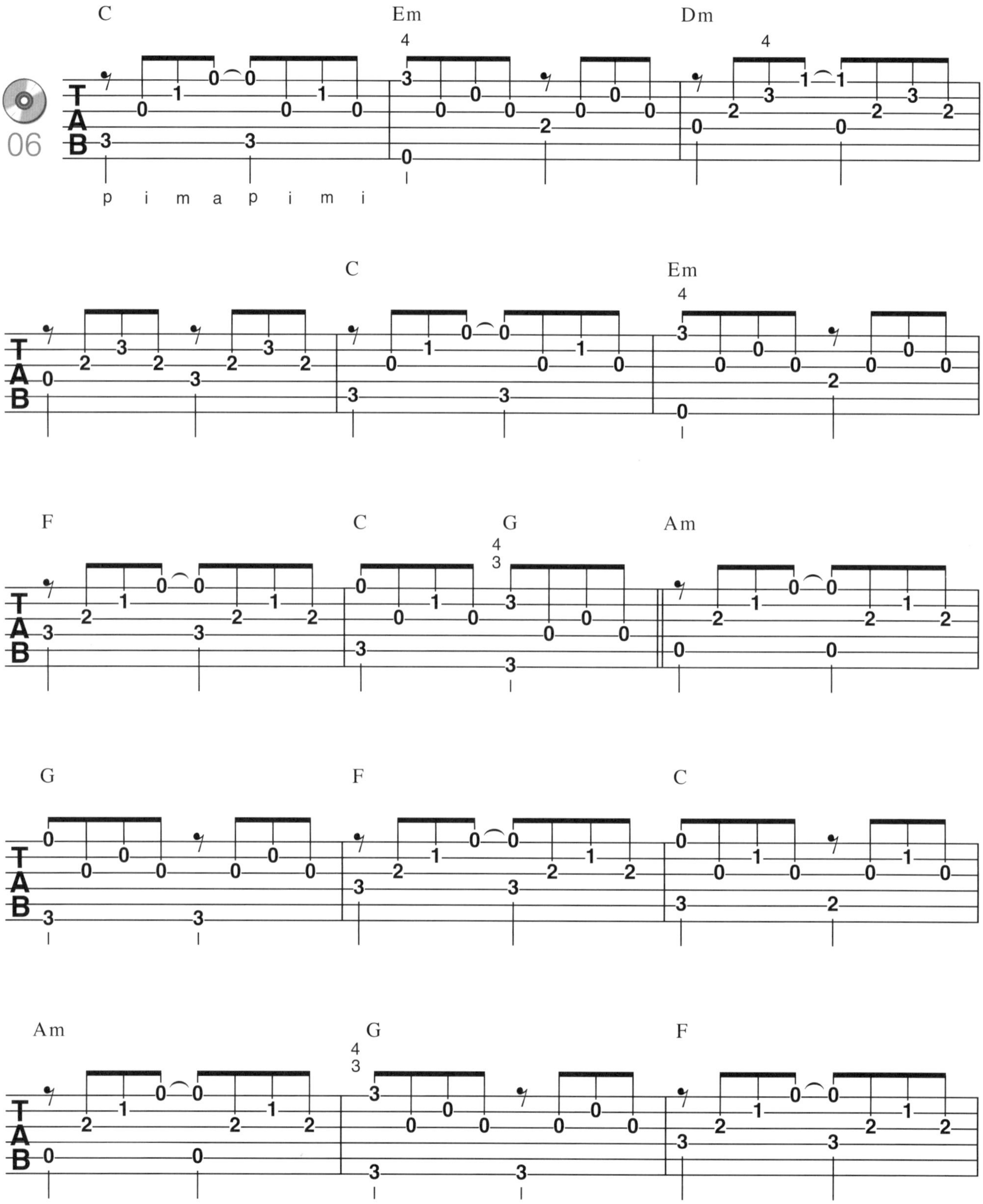

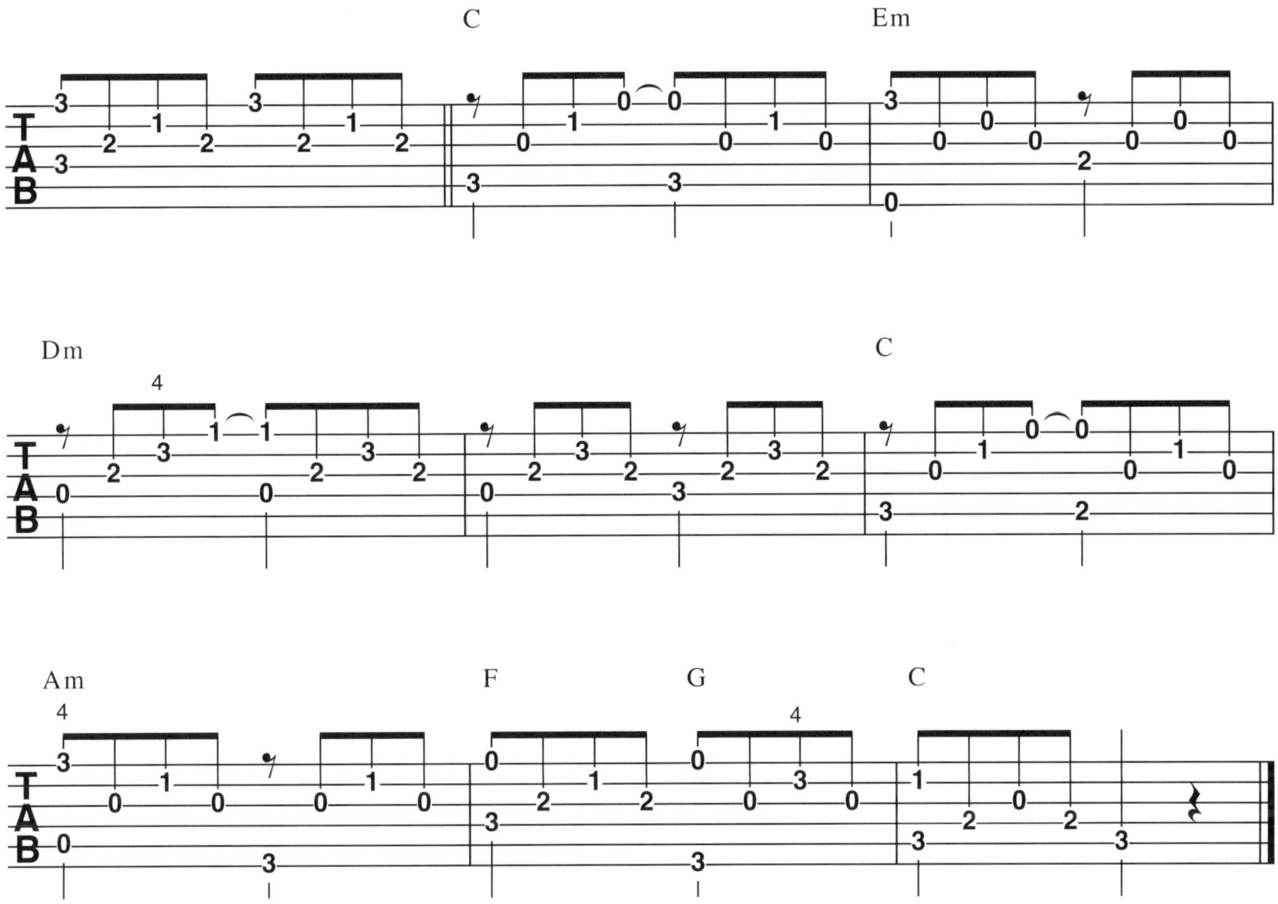

„Die Wolken ziehen ab“
Vierstimmige Zerlegung: p-i-m-a-p-i-m-i | p(a)-i-m-i-p(a)-i-m-i (zweitaktiges Pattern)
Der Ringfinger a im zweiten Takt wird nicht immer gespielt.

Wie Wolken ziehen in diesem Stück die Harmonien vorbei. Je kleiner und ruhiger die Bewegungen bei den Akkordwechseln ausgeführt werden, desto schöner fließen die Töne ineinander.

Für dieses und eigentlich für alle Stücke mit Akkordzerlegungen gilt: Stelle fest, welche Töne die aufeinanderfolgenden Akkorde gemeinsam haben. Technisch gesprochen: Welche Finger können liegenbleiben, welche müssen wohin bewegt werden?
So lernt man Akkorde nicht als vertikales Ereignis zu sehen, das mit dem Umgreifen beendet wird, sondern als horizontales „Erlebnis“, das immer in den nächsten Akkord übergeht.

Siebenschläfer

Michael Langer

Geschäftig

„Siebenschläfer“
Dreistimmige Zerlegung: p-i-m - p-i-m-i
Variation (vierstimmige Zerlegung): p-i-m - p-i-m-a

Der Siebenschläfer verdankt diesen Namen seinem überlangen Winterschlaf, obwohl dieser von September bis Mai oft deutlich länger ist. Er ist ansonsten aber als nachtaktives Nagetier „alles andere als fad“. Letzteres soll auch als Spielhinweis für dieses Lied gelten!

Den 7/8-Takt kann man auf unterschiedliche Weise zählen! Hier gilt 123-45-67 mit Akzenten auf die Zählzeiten 1, 4 und 6.
Wie bei „Ein guter Traum“ (Seite 16) lässt sich auch hier die Rhythmik des Stückes mit Schalterbewegung präziser ausdrücken.

Erklärung Schalterbewegung (engl. sequential planting: „aufeinanderfolgendes Ansetzen“):
Die englische Bezeichnung beschreibt den Bewegungsablauf perfekt. Nach dem Anschlag des einen wird sofort der nächste Finger reflexartig (aber entspannt) an die folgende Saite gesetzt.
Diese Technik ist eine sehr gute Übehilfe für die Entwicklung von Sicherheit und Geschwindigkeit in der rechten Hand. „Play slow, move fast“: Das blitzschnelle Umsetzen der Finger kann im langsamen Übetempo kontrolliert eingeübt werden.
Technisches Ergebnis: mehr Kontrolle bzw. Zeit, den Ton zu formen, da der Finger früher mit der Saite Kontakt hat.
Musikalisches Resultat: Je nach Grundtempo klingen einzelne Töne der Zerlegung artikulierter, da sie durch das frühere Ansetzen abgedämpft werden.

Siebenschläfer

Michael Langer

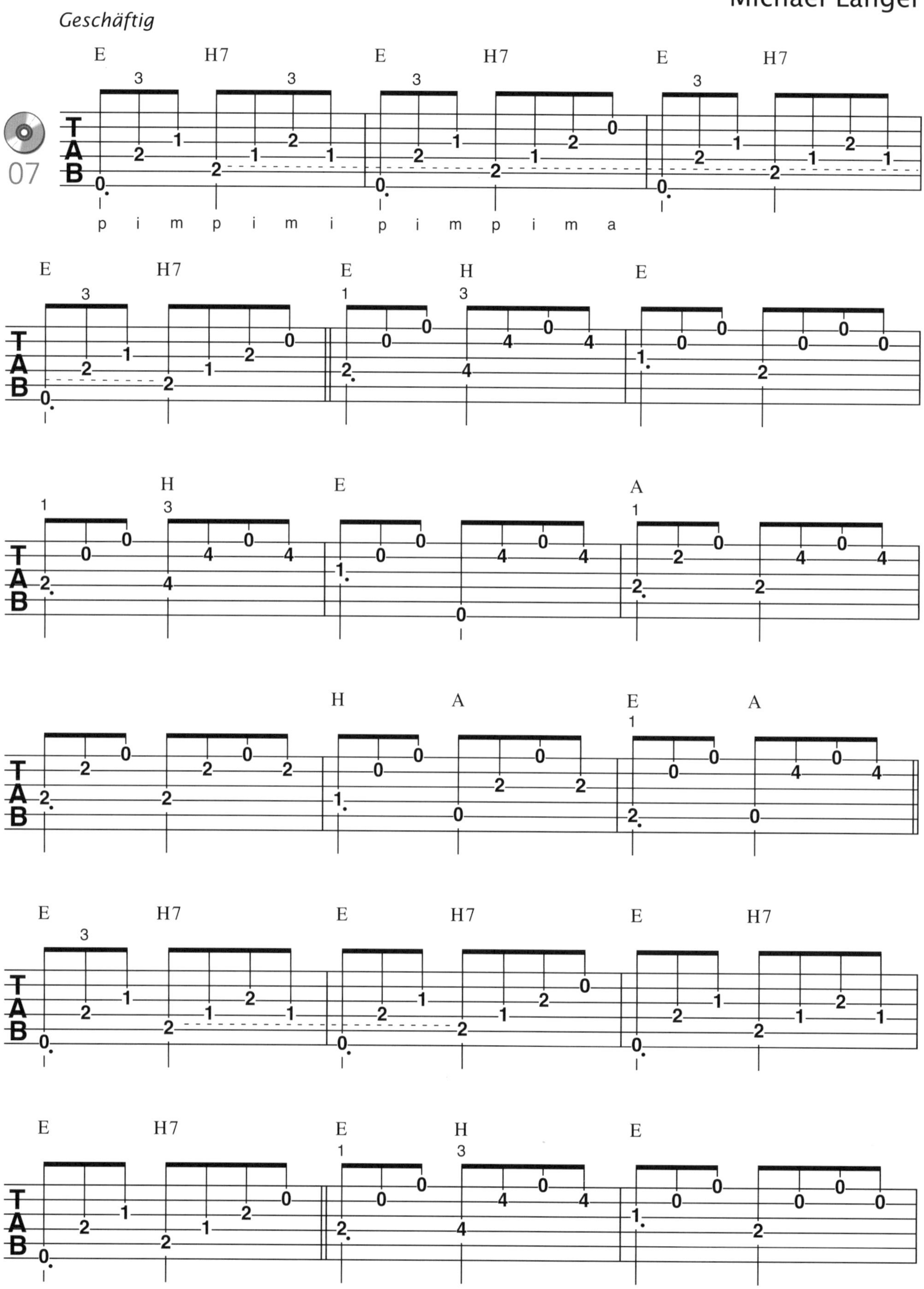

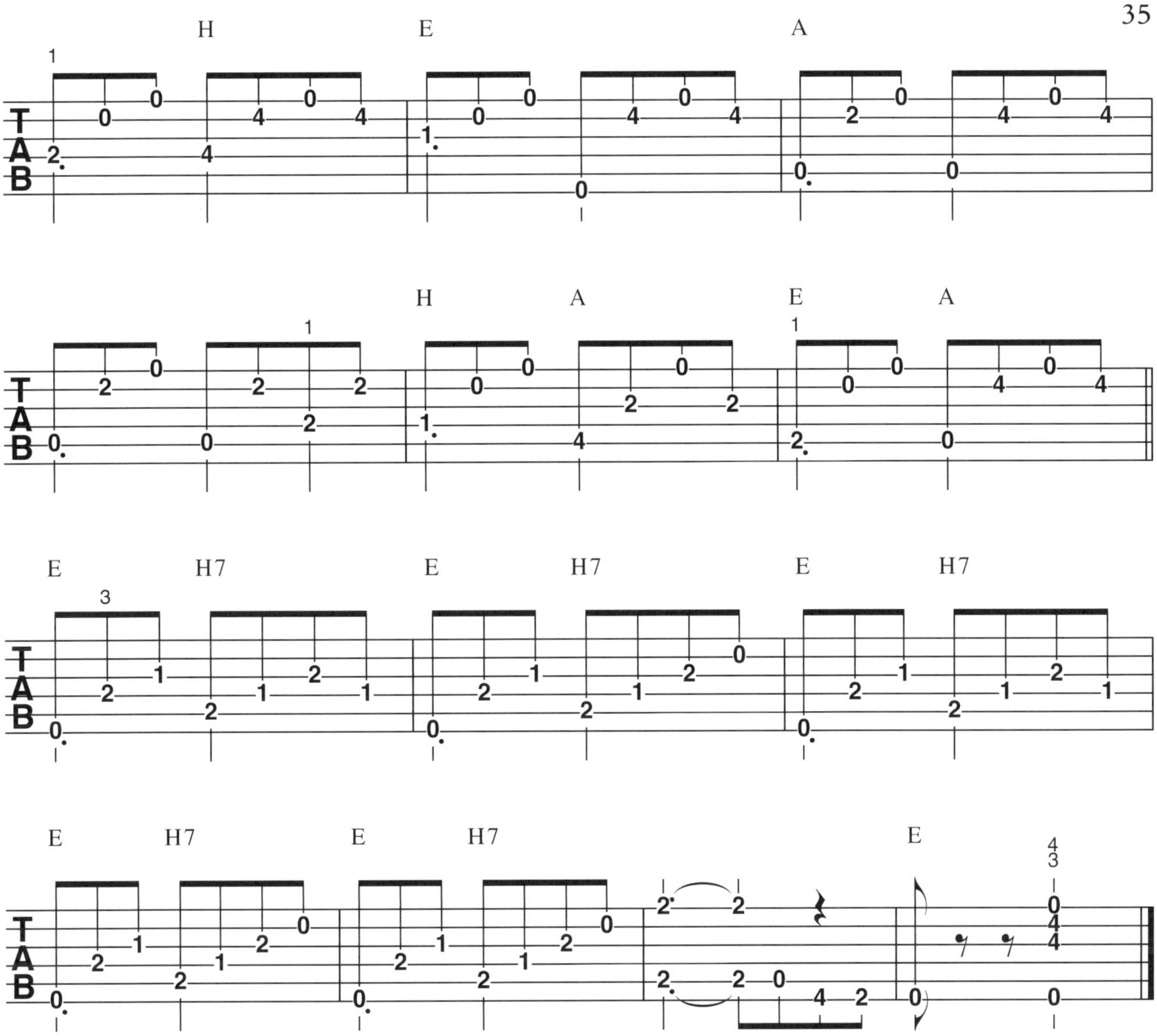

„Siebenschläfer“
Dreistimmige Zerlegung: p-i-m - p-i-m-i
Variation (vierstimmige Zerlegung): p-i-m - p-i-m-a

Der Siebenschläfer verdankt diesen Namen seinem überlangen Winterschlaf, obwohl dieser von September bis Mai oft deutlich länger ist. Er ist ansonsten aber als nachtaktives Nagetier „alles andere als fad“. Letzteres soll auch als Spielhinweis für dieses Lied gelten!

Den 7/8-Takt kann man auf unterschiedliche Weise zählen! Hier gilt 123-45-67 mit Akzenten auf die Zählzeiten 1, 4 und 6.
Wie bei „Ein guter Traum“ (Seite 18) lässt sich auch hier die Rhythmik des Stückes mit Schalterbewegung präziser ausdrücken.

Erklärung Schalterbewegung (engl. sequential planting: „aufeinanderfolgendes Ansetzen“):
Die englische Bezeichnung beschreibt den Bewegungsablauf perfekt. Nach dem Anschlag des einen wird sofort der nächste Finger reflexartig (aber entspannt) an die folgende Saite gesetzt.
Diese Technik ist eine sehr gute Übehilfe für die Entwicklung von Sicherheit und Geschwindigkeit in der rechten Hand. „Play slow, move fast“: Das blitzschnelle Umsetzen der Finger kann im langsamen Übetempo kontrolliert eingeübt werden.
Technisches Ergebnis: mehr Kontrolle bzw. Zeit, den Ton zu formen, da der Finger früher mit der Saite Kontakt hat.
Musikalisches Resultat: Je nach Grundtempo klingen einzelne Töne der Zerlegung artikulierter, da sie durch das frühere Ansetzen abgedämpft werden.

Mein Schaf dreht durch!

Michael Langer

Flott

„Mein Schaf dreht durch!“
Durchgehend vierstimmige Zerlegung: p-a-p-i-m - p-a-m-i

5/4-Takt mit Schwerpunkt auf die Zählzeiten 1 und 4. Zähle: 1+2+3+ 4+5+

Will ich ein Stück lebendiger gestalten, hilft mir oft die Vorstellung, wie ich als Gitarrist die einzelnen Stimmen des Notensatzes in einem Gitarrenorchester spielen würde. Also z. B. die Melodietöne einstimmig oder die Basslinie solo wie ein Bassist.

Auch hier hat mir diese Idee weitergeholfen: Die Bassstimme klingt grooviger, wenn man sie artikuliert! Die halbe Note auf Zählzeit 2 sollte portato klingen, also eigentlich nur eine Viertelnote lang, die halbe Note auf Zählzeit 4 ganz legato, also mit ihrem vollem Wert, auftaktig in die nächste 1.

1) Technisch bedeutet das, die Bassnote mit dem Daumen der rechten Hand genau auf die 3 abzudämpfen.

2) Umgreifen, damit der 1. Finger frei für den Akkordwechsel ist!

Mein Schaf dreht durch!

Flott

Michael Langer

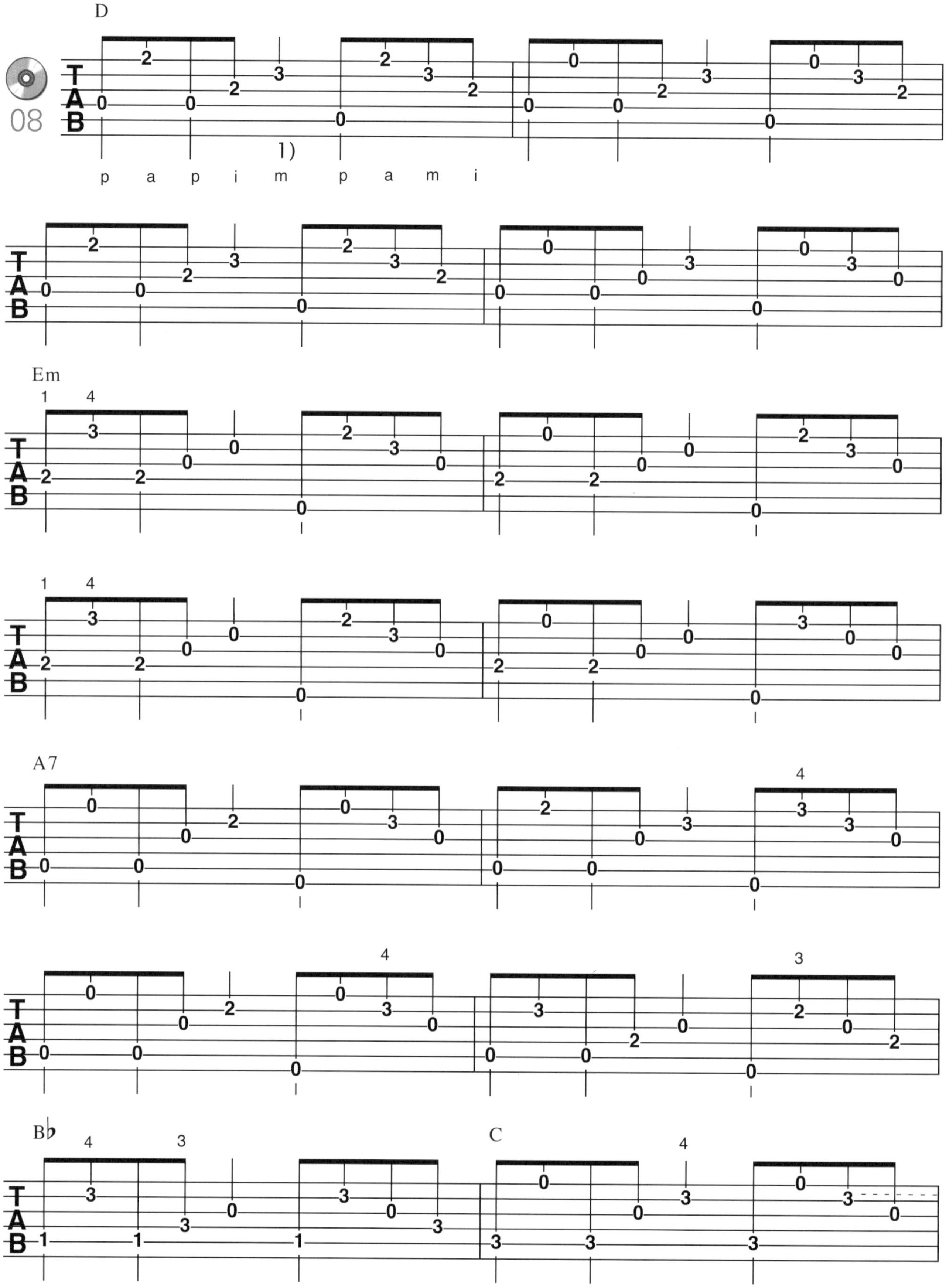

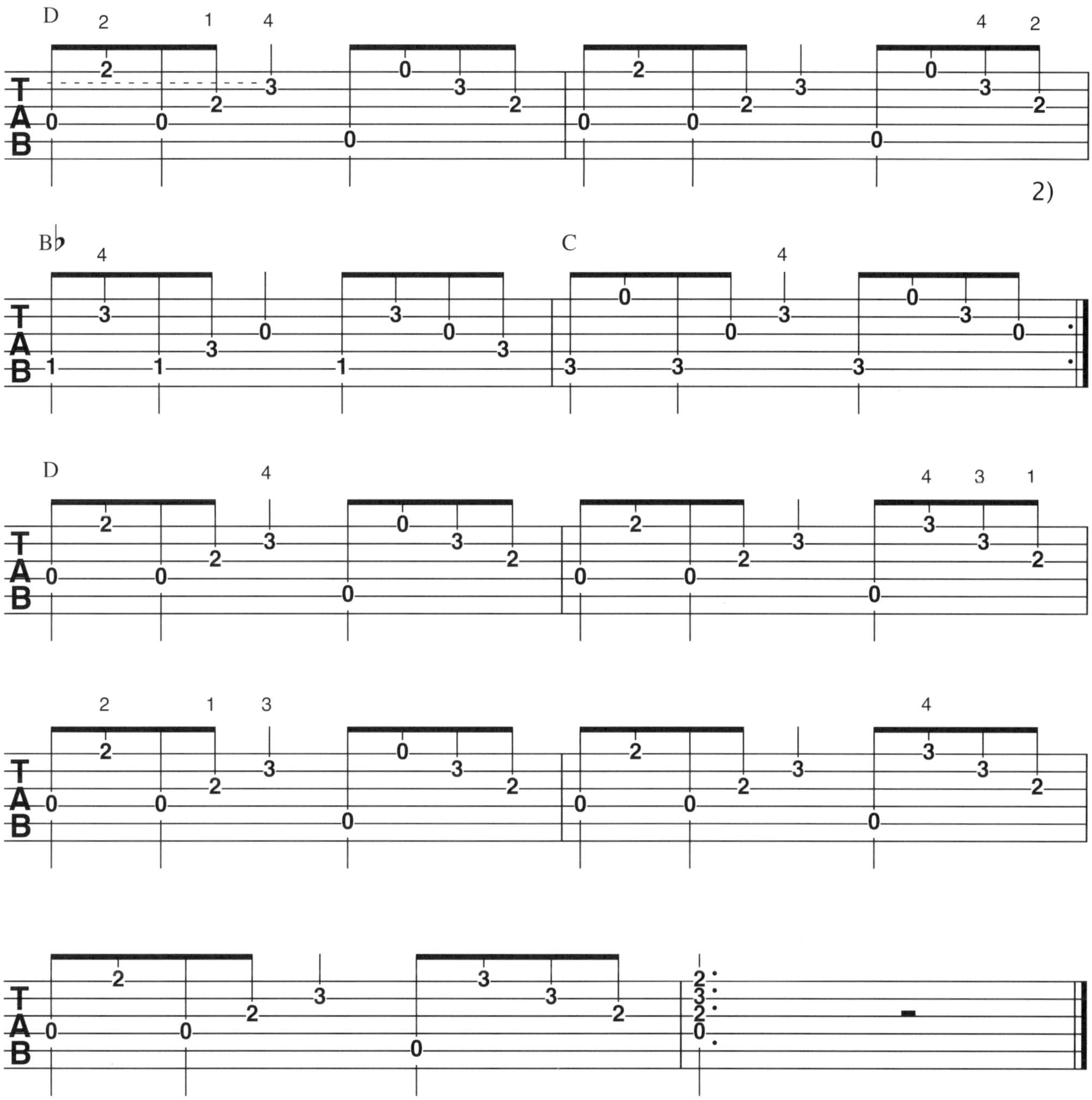

„Mein Schaf dreht durch!“
Durchgehend vierstimmige Zerlegung: p-a-p-i-m - p-a-m-i

5/4-Takt mit Schwerpunkt auf die Zählzeiten 1 und 4. Zähle: 1+2+3+ 4+5+

Will ich ein Stück lebendiger gestalten, hilft mir oft die Vorstellung, wie ich als Gitarrist die einzelnen Stimmen des Notensatzes in einem Gitarrenorchester spielen würde. Also z. B. die Melodietöne einstimmig oder die Basslinie solo wie ein Bassist.

Auch hier hat mir diese Idee weitergeholfen: Die Bassstimme klingt grooviger, wenn man sie artikuliert! Die halbe Note auf Zählzeit 2 sollte portato klingen, also eigentlich nur eine Viertelnote lang, die halbe Note auf Zählzeit 4 ganz legato, also mit ihrem vollem Wert, auftaktig in die nächste 1.

1) Technisch bedeutet das, die Bassnote mit dem Daumen der rechten Hand genau auf die 3 abzudämpfen.

2) Umgreifen, damit der 1. Finger frei für den Akkordwechsel ist!

Tender To Forever

Sanft schaukelnd

Michael Langer

„Tender To Forever"
Durchgehend vierstimmige Zerlegung: p-i-m-a-m-i

„Tender To Forever" stand auf dem Heck des bananenartigen Beiboots, das friedlich in der kroatischen See vor sich hinschaukelte – ein Moment unglaublicher Ruhe, den ich hier einzufangen versuche - bis der Außenbordmotor (schätzungsweise Baujahr 1960) angelassen wurde ...

Dieses Stück steht im 6/8-Takt und bringt eine Melodie über einer stets gleichlaufenden, wiegenden Akkordzerlegung. Die Melodienote jeder Akkordzerlegung wird immer auf Zählzeit 4 angeschlagen und soll bis zur nächsten Melodienote klingen und auch innerlich gehört werden!

Als Vorübung empfehle ich: Spiele dieses Lied nur mit den Melodienoten, die du den ganzen Takt klingen lässt. Singe die Melodie mit (kann auch leise oder still im Kopf passieren).
So lernst du, diese Melodie auch zu gestalten und die Töne zu verbinden. Genau diese Gestaltung und Verbindung der Töne werden dann auch das Stück tragen.

Tender To Forever

Michael Langer

Sanft schaukelnd

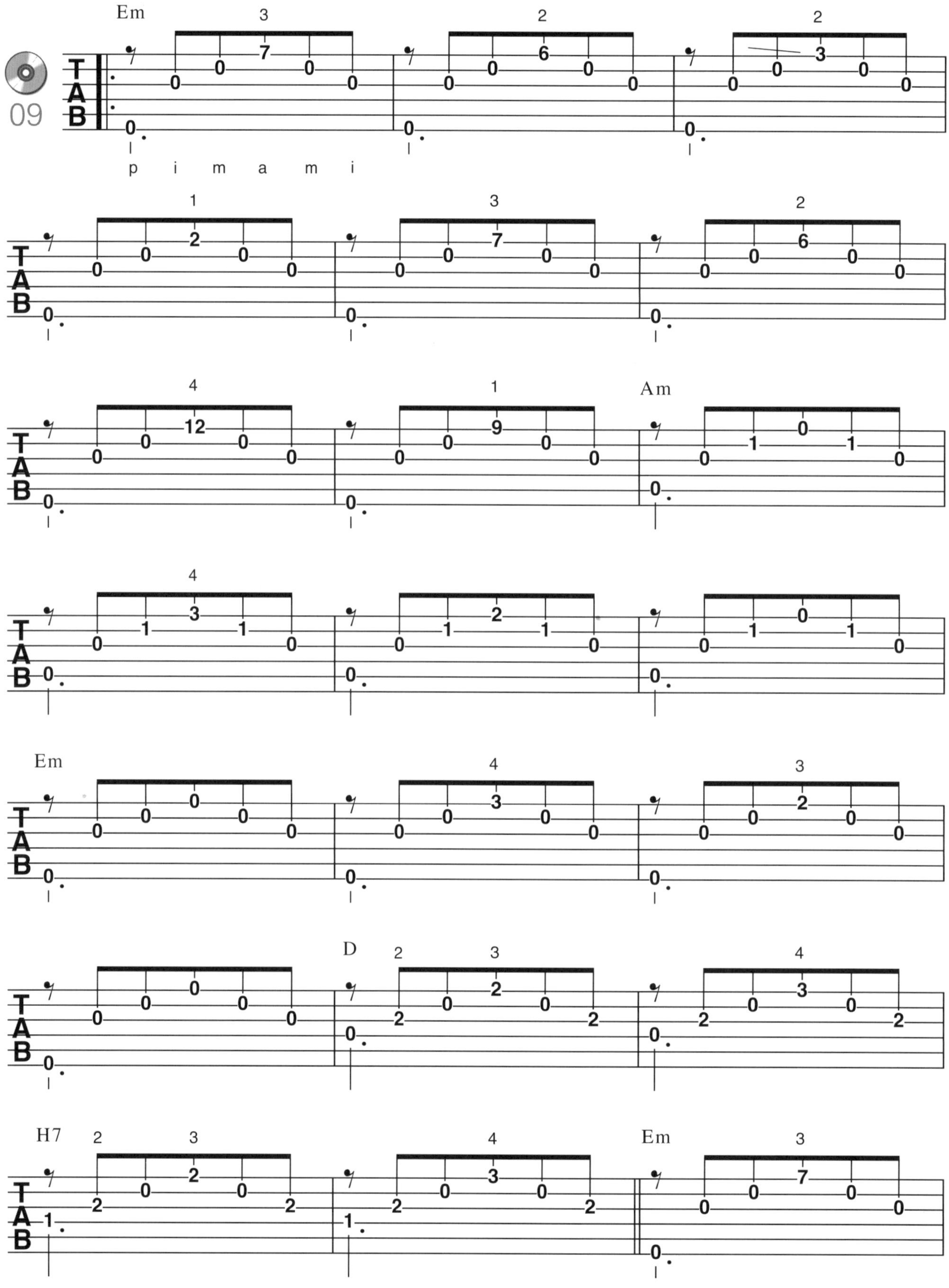

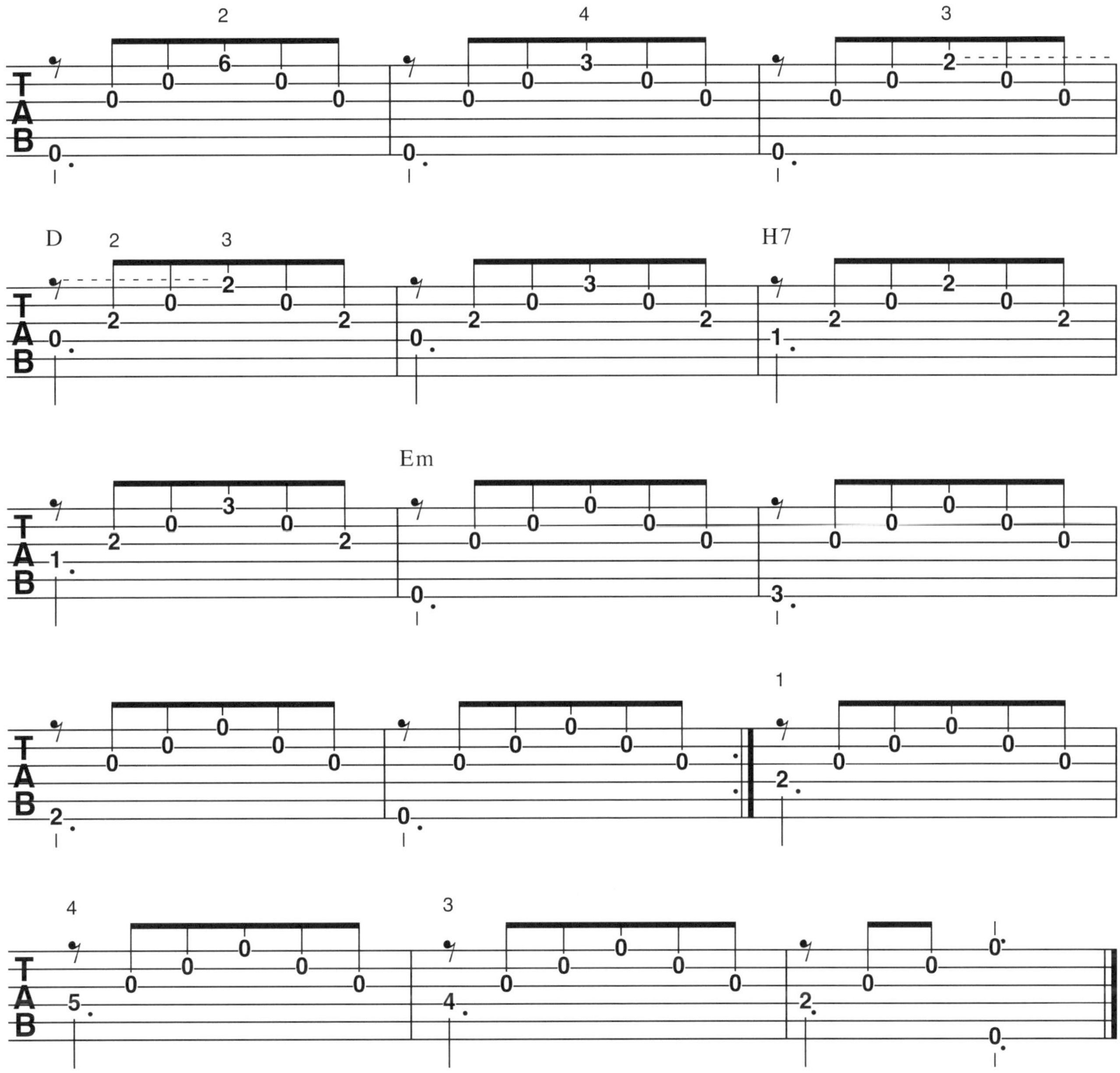

„Tender To Forever“
Durchgehend vierstimmige Zerlegung: p-i-m-a-m-i

„Tender To Forever“ stand auf dem Heck des bananenartigen Beiboots, das friedlich in der kroatischen See vor sich hinschaukelte – ein Moment unglaublicher Ruhe, den ich hier einzufangen versuche - bis der Außenbordmotor (schätzungsweise Baujahr 1960) angelassen wurde ...

Dieses Stück steht im 6/8-Takt und bringt eine Melodie über einer stets gleichlaufenden, wiegenden Akkordzerlegung. Die Melodienote jeder Akkordzerlegung wird immer auf Zählzeit 4 angeschlagen und soll bis zur nächsten Melodienote klingen und auch innerlich gehört werden!

Als Vorübung empfehle ich: Spiele dieses Lied nur mit den Melodienoten, die du den ganzen Takt klingen lässt. Singe die Melodie mit (kann auch leise oder still im Kopf passieren).
So lernst du, diese Melodie auch zu gestalten und die Töne zu verbinden. Genau diese Gestaltung und Verbindung der Töne werden dann auch das Stück tragen.

In der Warteschlange

Beharrlich

Michael Langer

„In der Warteschlange“
Durchgehend dreistimmige Zerlegung: pm-i-m-i - pm-i-m-i
Bei nicht benachbarten Saiten kann in der oberen Stimme der Ringfinger gespielt werden.

Du stehst in einer Warteschlange, nichts geht weiter, du wirst immer ungeduldiger und hast das Gefühl, dir platzt bald der Kragen ... Wenn du das noch nie erlebt hast, bitte blättere weiter. Wenn du dieses Gefühl kennst, bist du hier richtig und kannst deine Erinnerungen in deine Interpretation einfließen lassen.

Obwohl über weite Strecken Mittelstimme und Bass gleichbleiben und die einzige Entwicklung in der Melodielinie liegt, denke nur die wichtigen Noten, aber spiele alle Achtelnoten gleichbedeutend, um diesen beharrlichen Rockgroove in Achteln authentisch rüberzubringen.
Viertelnoten im Bass können kurz artikuliert werden (in der Dauer einer Achtelnote – setze den Daumen gleichzeitig mit der Oberstimme auf Zählzeit „+“ an die Saite), halbe Noten sollen lang klingen.

In der Warteschlange

Michael Langer

Beharrlich

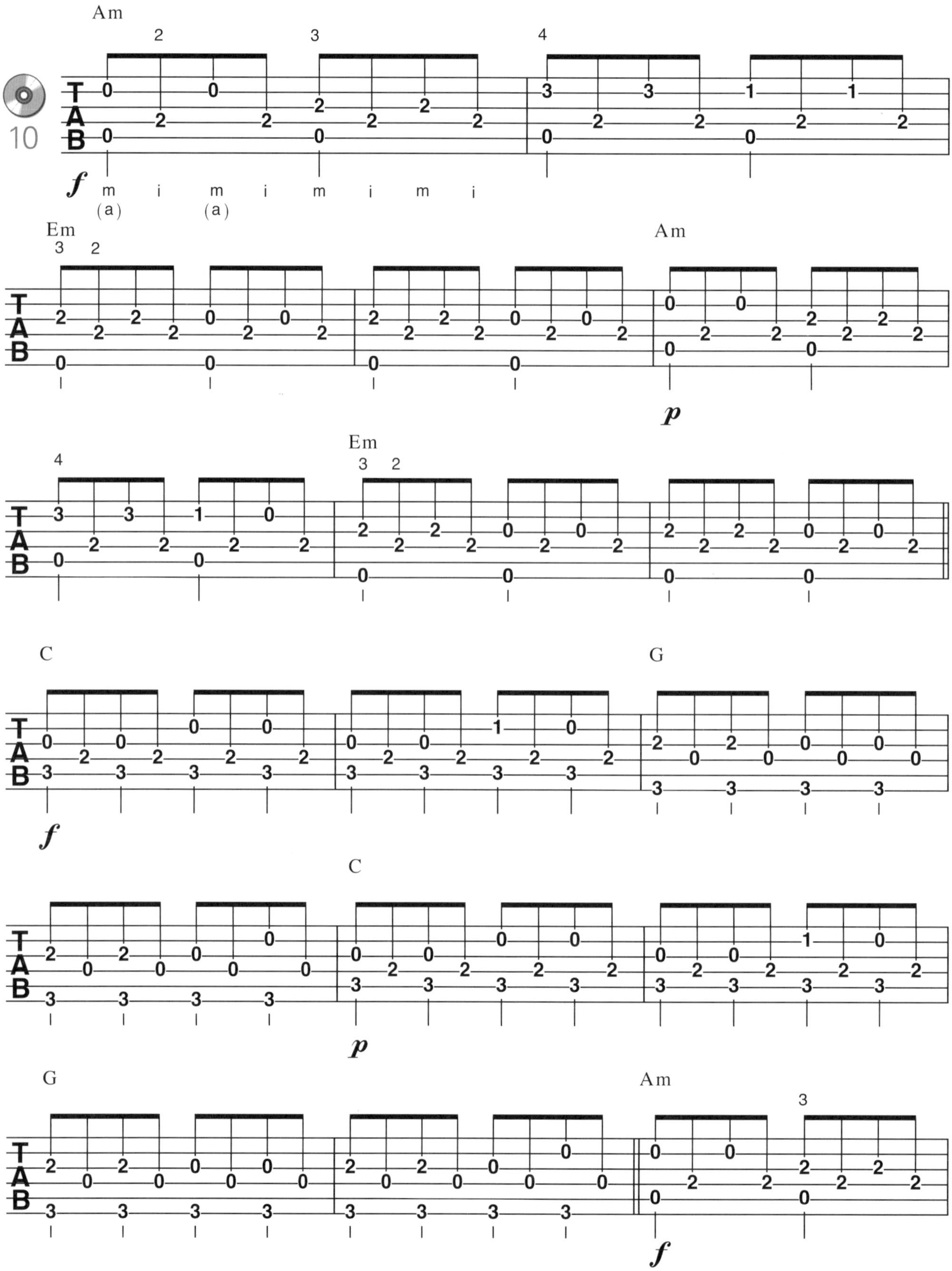

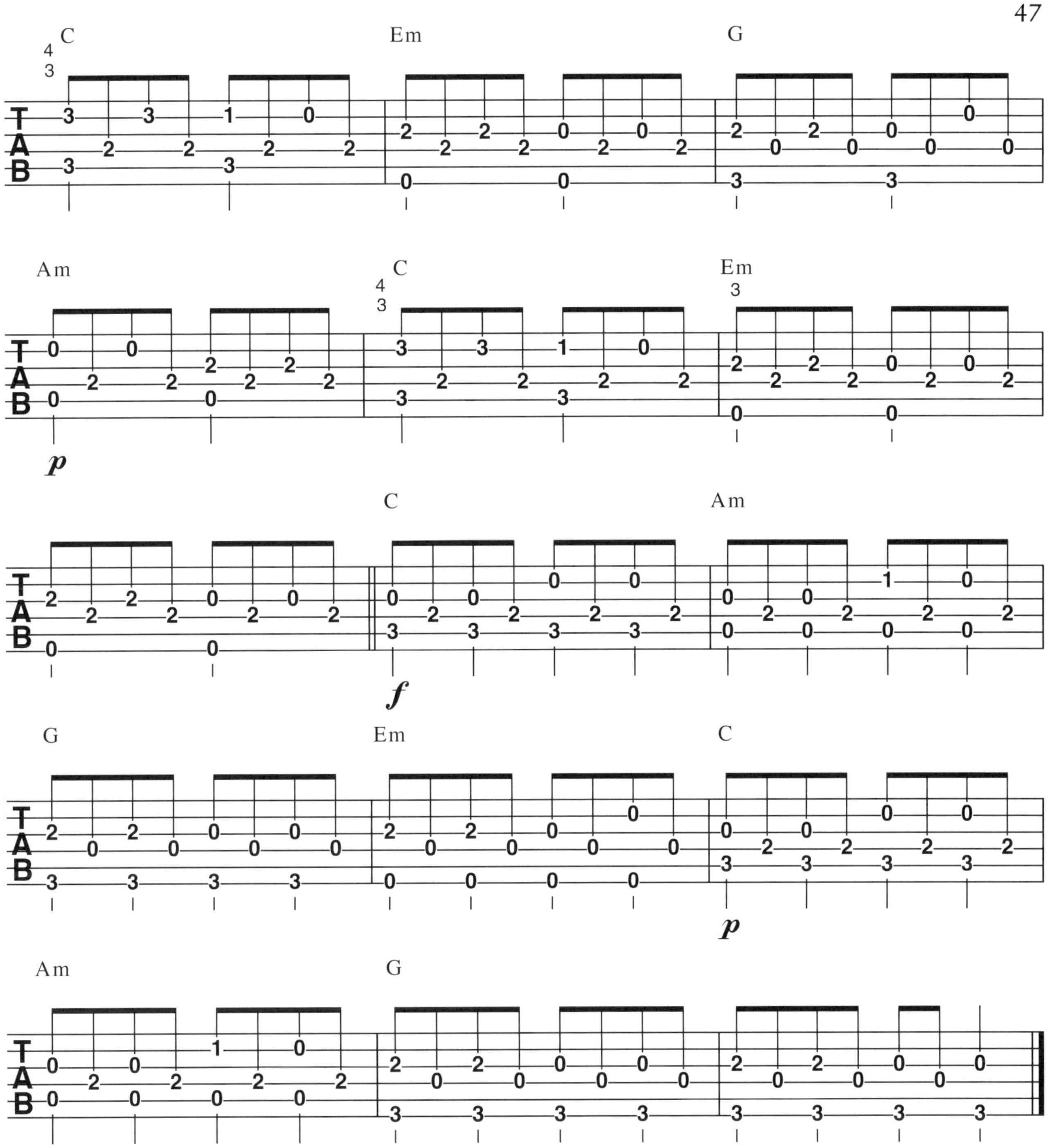

„In der Warteschlange“
Durchgehend dreistimmige Zerlegung: pm-i-m-i - pm-i-m-i
Bei nicht benachbarten Saiten kann in der oberen Stimme der Ringfinger gespielt werden.

Du stehst in einer Warteschlange, nichts geht weiter, du wirst immer ungeduldiger und hast das Gefühl, dir platzt bald der Kragen … Wenn du das noch nie erlebt hast, bitte blättere weiter. Wenn du dieses Gefühl kennst, bist du hier richtig und kannst deine Erinnerungen in deine Interpretation einfließen lassen.

Obwohl über weite Strecken Mittelstimme und Bass gleichbleiben und die einzige Entwicklung in der Melodielinie liegt, denke nur die wichtigen Noten, aber spiele alle Achtelnoten gleichbedeutend, um diesen beharrlichen Rockgroove in Achteln authentisch rüberzubringen.
Viertelnoten im Bass können kurz artikuliert werden (in der Dauer einer Achtelnote – setze den Daumen gleichzeitig mit der Oberstimme auf Zählzeit „+“ an die Saite), halbe Noten sollen lang klingen.

Beinahe ein Tango

Michael Langer

Stolz, doch nichts übereilen

„Beinahe ein Tango“
Durchgehend dreistimmige Zerlegung: p-i-m--i-m | p-i-m-i (zweitaktiges Pattern)

Ein Element des Tangotanzens sind sehr rasche, temperamentvolle Bewegungen, die rhythmisch genau gesetzt sind.
Wie kann man den Charakter dieses Tanzes im Gitarrenspiel umsetzen?
Die Schalterbewegung, die ich schon auf Seite 33 beschrieben habe, hilft dir mit einer schnellen präzisen Bewegung an die Saite zu kommen und dann zu einem exakten Zeitpunkt rhythmisch genau anzuschlagen.

Ein weiteres Merkmal der Musik des Tangos sind die stufenweisen Fortschreitungen beim Akkordwechsel bzw. innerhalb einer Harmonie. Versuche gleichbleibende Noten beim Akkordwechsel liegen zu lassen und wechselnde Stimmen genau zu hören und herauszuarbeiten.

Beinahe ein Tango

Stolz, doch nichts übereilen

Michael Langer

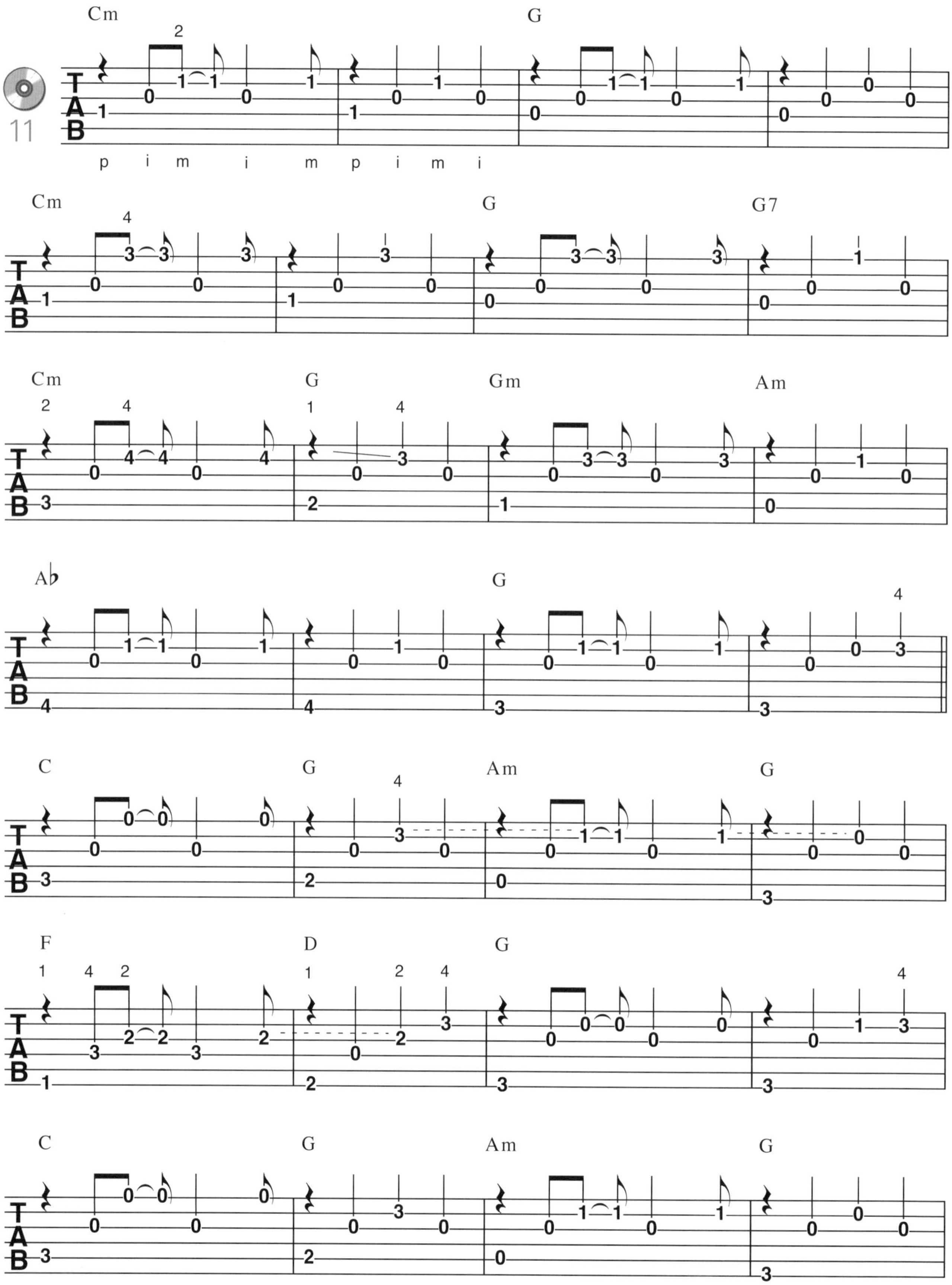

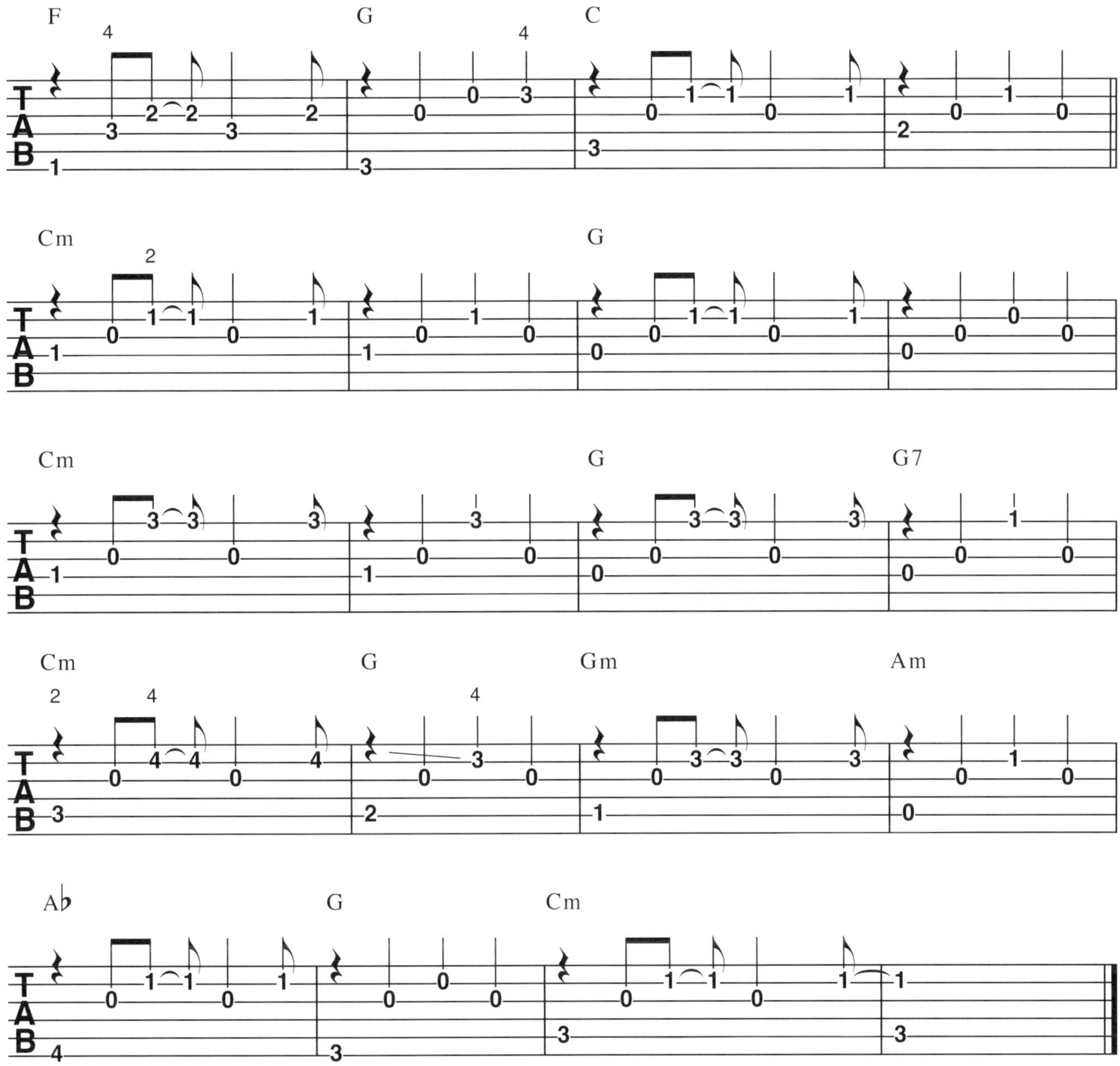

„Beinahe ein Tango"
Durchgehend dreistimmige Zerlegung: p-i-m--i-m | p-i-m-i (zweitaktiges Pattern)

Ein Element des Tangotanzens sind sehr rasche, temperamentvolle Bewegungen, die rhythmisch genau gesetzt sind.
Wie kann man den Charakter dieses Tanzes im Gitarrenspiel umsetzen?
Die Schalterbewegung, die ich schon auf Seite 35 beschrieben habe, hilft dir mit einer schnellen präzisen Bewegung an die Saite zu kommen und dann zu einem exakten Zeitpunkt rhythmisch genau anzuschlagen.

Ein weiteres Merkmal der Musik des Tangos sind die stufenweisen Fortschreitungen beim Akkordwechsel bzw. innerhalb einer Harmonie. Versuche gleichbleibende Noten beim Akkordwechsel liegen zu lassen und wechselnde Stimmen genau zu hören und herauszuarbeiten.

Rock Nr. 1

Michael Langer

„Rock Nr. 1"
Zerlegung: 3er-Gruppen p-p-mi bzw. p-mi-mi mit Variationen

Rock Nr.1 ist ein instrumentaler Rocklick in bester E-Gitarrentradition.
Um das Lied gut spielen zu können, ist es von Vorteil, sich mit der Spielweise der E-Gitarre auseinanderzusetzen.

Rockgitarristen würden diesen Lick nur mit Abschlägen mit dem Plektrum spielen – Konsequenz für die akustische Gitarre: Spiele alle tiefen Bassnoten mit dem Daumen. Diese Bässe und die Akkorde mit i-m sollen einander klanglich sehr ähnlich sein.

Die akzentuierten Viertel G und c am Ende fast jeder Zeile sind Blue Notes, sehr spannungsreiche Töne in dem jeweiligen Akkord. Rockgitarristen spielen diese Blue Notes oft mit einem Viertelton-Bending.
Diesen Effekt kann man auch auf der akustischen Gitarre sehr gut nachmachen, indem man die Saite seitlich am Griffbrett verschiebt.

Rock Nr. 1

Michael Langer

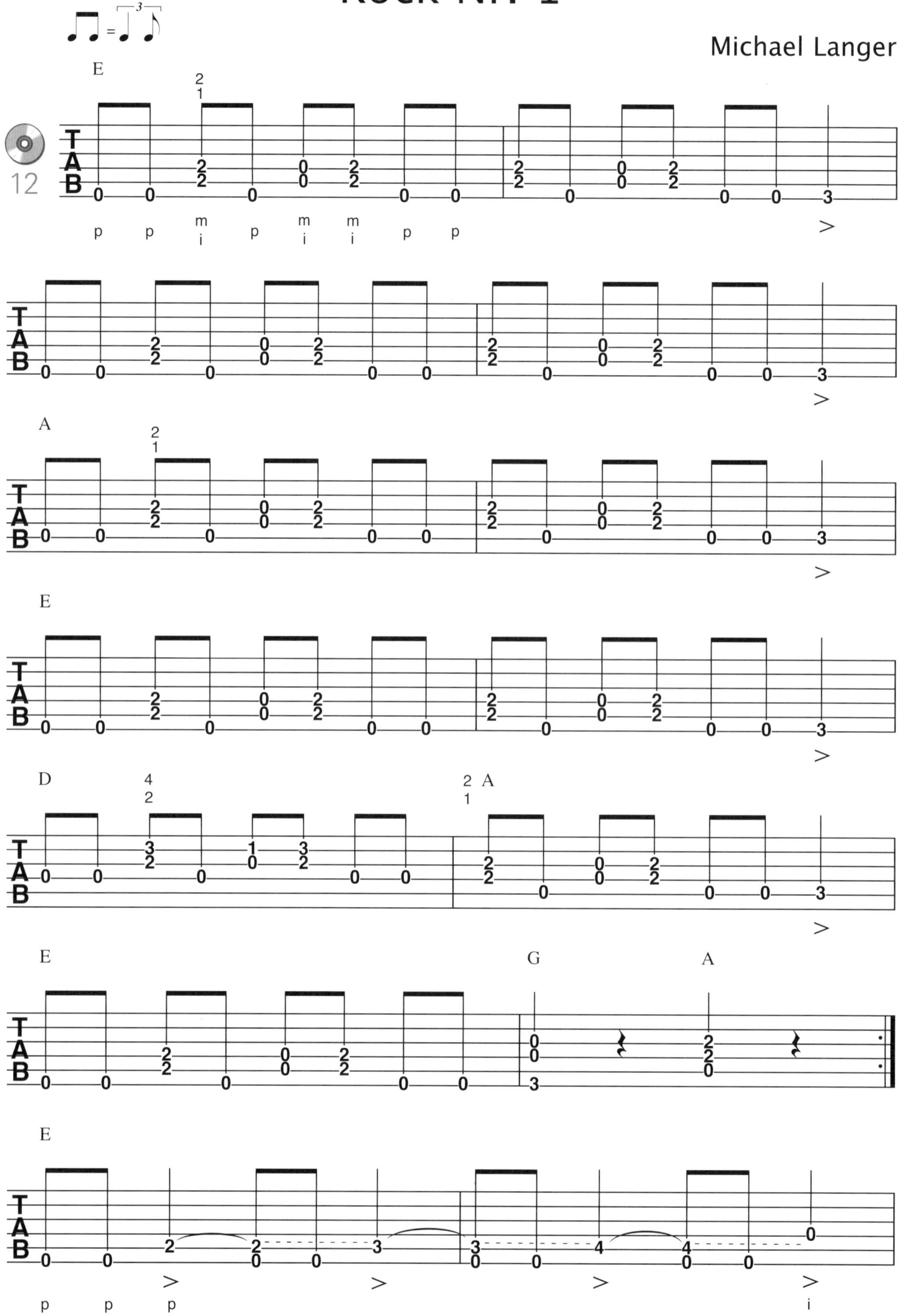

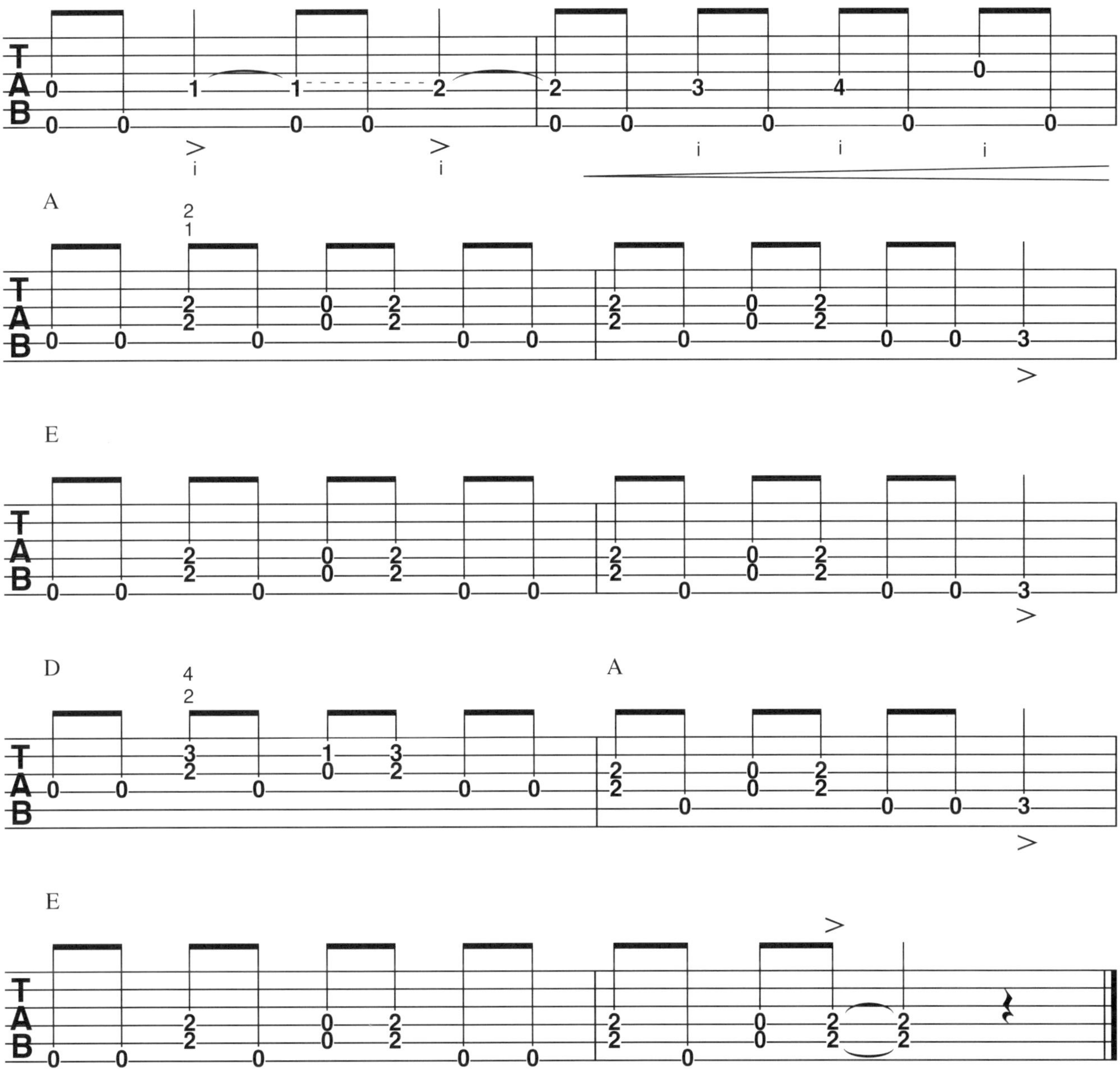

„Rock Nr. 1“
Zerlegung: 3er-Gruppen p-p-mi bzw. p-mi-mi mit Variationen

Rock Nr.1 ist ein instrumentaler Rocklick in bester E-Gitarrentradition.
Um das Lied gut spielen zu können, ist es von Vorteil, sich mit der Spielweise der E-Gitarre auseinanderzusetzen.

Rockgitarristen würden diesen Lick nur mit Abschlägen mit dem Plektrum spielen – Konsequenz für die akustische Gitarre: Spiele alle tiefen Bassnoten mit dem Daumen. Diese Bässe und die Akkorde mit i-m sollen einander klanglich sehr ähnlich sein.

Die akzentuierten Viertel am 3. Bund am Ende fast jeder Zeile sind Blue Notes, sehr spannungsreiche Töne in dem jeweiligen Akkord. Rockgitarristen spielen diese Blue Notes oft mit einem Viertelton-Bending.
Diesen Effekt kann man auch auf der akustischen Gitarre sehr gut nachmachen, indem man die Saite seitlich am Griffbrett verschiebt.

Wie ein Schwamm im Pool

Michael Langer

„Wie ein Schwamm im Pool“
Vierstimmige Zerlegung: a-p-m-i-p-m
Variation: pa-m-i-pa-m-i

Die Bögen dieses Stückes kannst du dir gerne vorstellen wie einen Schwamm, der sich langsam aber stetig vollsaugt und dann langsam wieder das Wasser verliert. Mit diesem Bild ergibt sich eine ebenmäßige dynamische Gestaltung: zwei Takte crescendo bis zum Beginn des 3. Taktes und dann decrescendo bis zum Ende des Bogens.

Aber natürlich spielt auch die Gewichtung des Taktes eine Rolle: Der 6/8-Takt hat seine Betonungen auf die Zählzeiten 1 und 4. Bitte achte darauf, dass wirklich diese Töne den Schwerpunkt bekommen und nicht die Bassnoten, die auf der Gitarre oft wuchtiger kommen.

1) Taktwechsel 6 auf 7: Nächsten Griff vorausdenken – Finger in der Luft schon vorbereiten!

Wie ein Schwamm im Pool

Zufrieden

Michael Langer

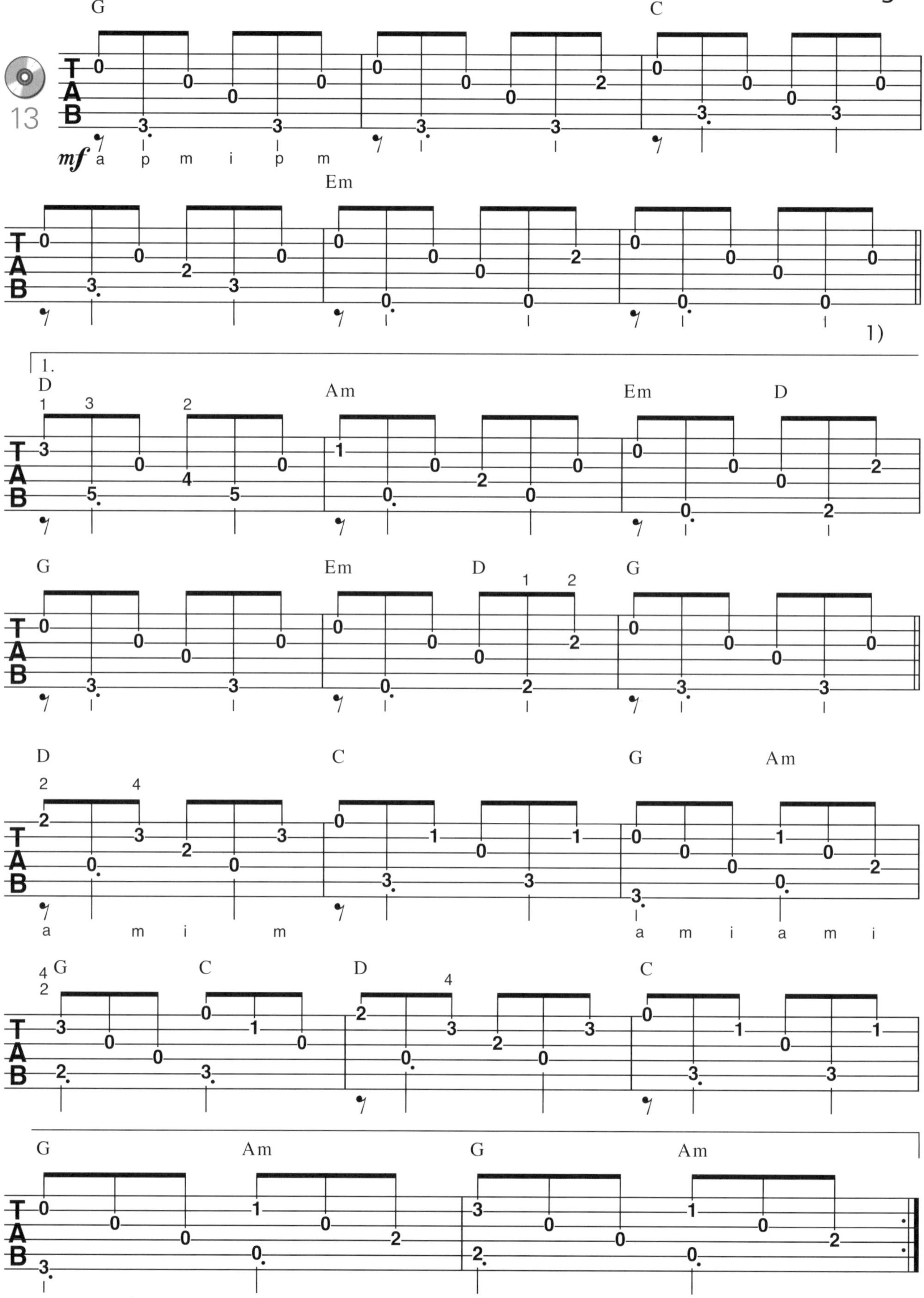

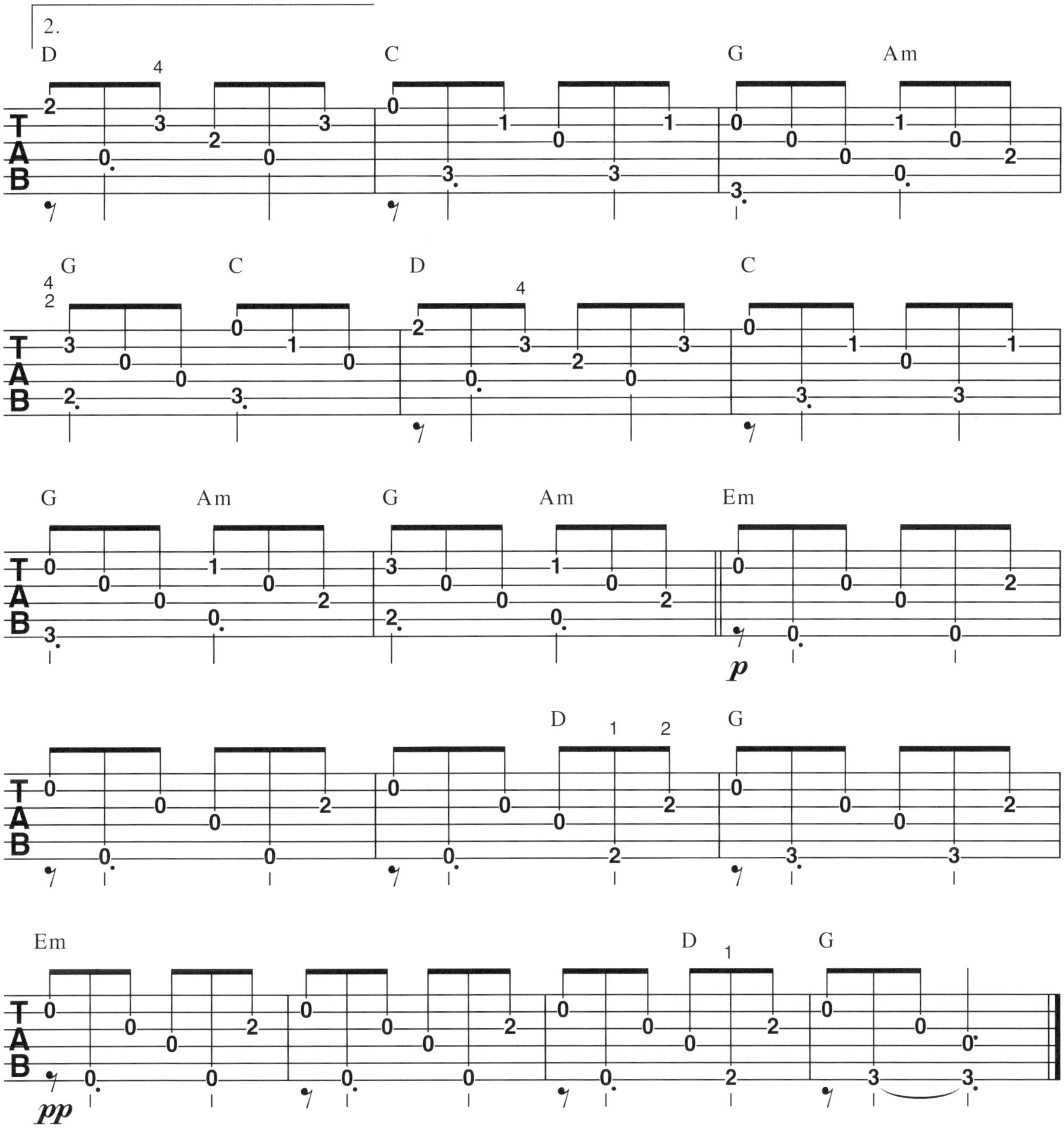

„Wie ein Schwamm im Pool"
Vierstimmige Zerlegung: a-p-m-i-p-m
Variation: pa-m-i-pa-m-i

Die Melodielinien dieses Stückes kannst du dir gerne vorstellen wie einen Schwamm, der sich langsam aber stetig vollsaugt und dann langsam wieder das Wasser verliert. Mit diesem Bild ergibt sich eine ebenmäßige dynamische Gestaltung: zwei Takte crescendo bis zum Beginn des 3. Taktes und dann decrescendo bis zum Ende des Bogens.

Aber natürlich spielt auch die Gewichtung des Taktes eine Rolle: Der 6/8-Takt hat seine Betonungen auf die Zählzeiten 1 und 4. Bitte achte darauf, dass wirklich diese Töne den Schwerpunkt bekommen und nicht die Bassnoten, die auf der Gitarre oft wuchtiger kommen.

1) Taktwechsel 6 auf 7: Nächsten Griff vorausdenken – Finger in der Luft schon vorbereiten!

Lass mich erzählen

Michael Langer

Fließend

„Lass mich erzählen“
Zwei vierstimmige Zerlegungen:
Zerlegung 1: p-i-m - a-i-m - a-i-m - a-i-m
Zerlegung 2: p-i-m - p-i-m - p-i-m - p-i-m

Da reden zwei Freunde miteinander, die sich wirklich viel zu erzählen haben. Eine Idee geht in die andere über. Genauso sollen auch die Akkorde nahtlos ineinander übergehen.

Zum technischen Aspekt ein kurzer Gedanke: Die Gitarre ist ein sehr grifforientiertes Instrument. Zum Einstieg lernt man einzelne Griffmuster zu den Akkordsymbolen und übt dazu möglichst schnelles Umgreifen. Einige Beispiele in dieser Ausgabe sollen zeigen, um wieviel einfacher die Verbindung von Akkorden durch kluge, flexible Fingersätze wird.
Als Beispiel der gewohnte D-Dur-Griff in den Takten 1 und 9:
1) In Takt 1 greife den Akkord mit 1-3-2, um den 4. Finger frei für die Wechselnote g' zu haben.
2) In Takt 9 greife den Akkord mit 2-4-3, um besser zum gis und dann zum e und dis im nächsten Takt wechseln zu können.

Lass mich erzählen

Michael Langer

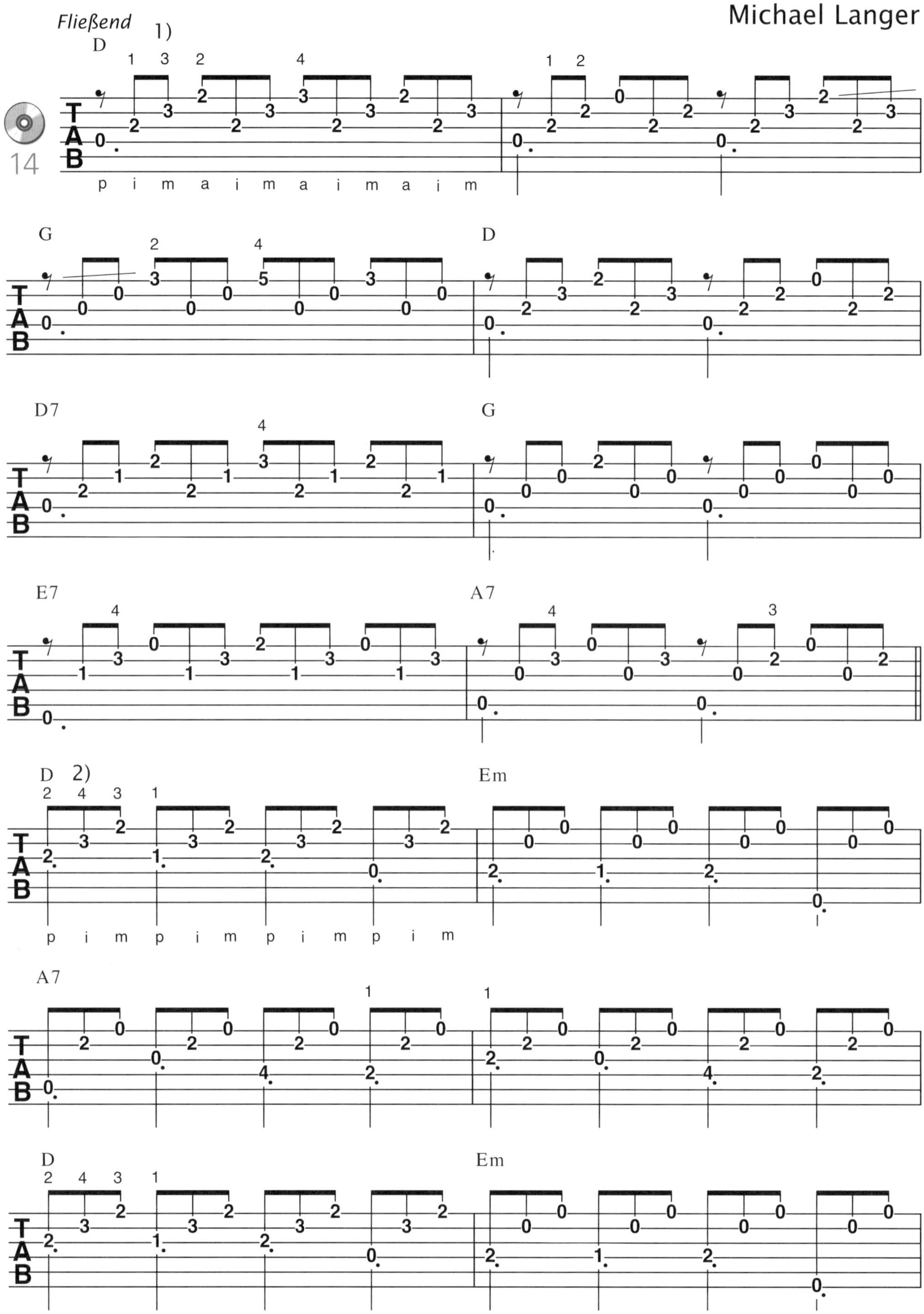

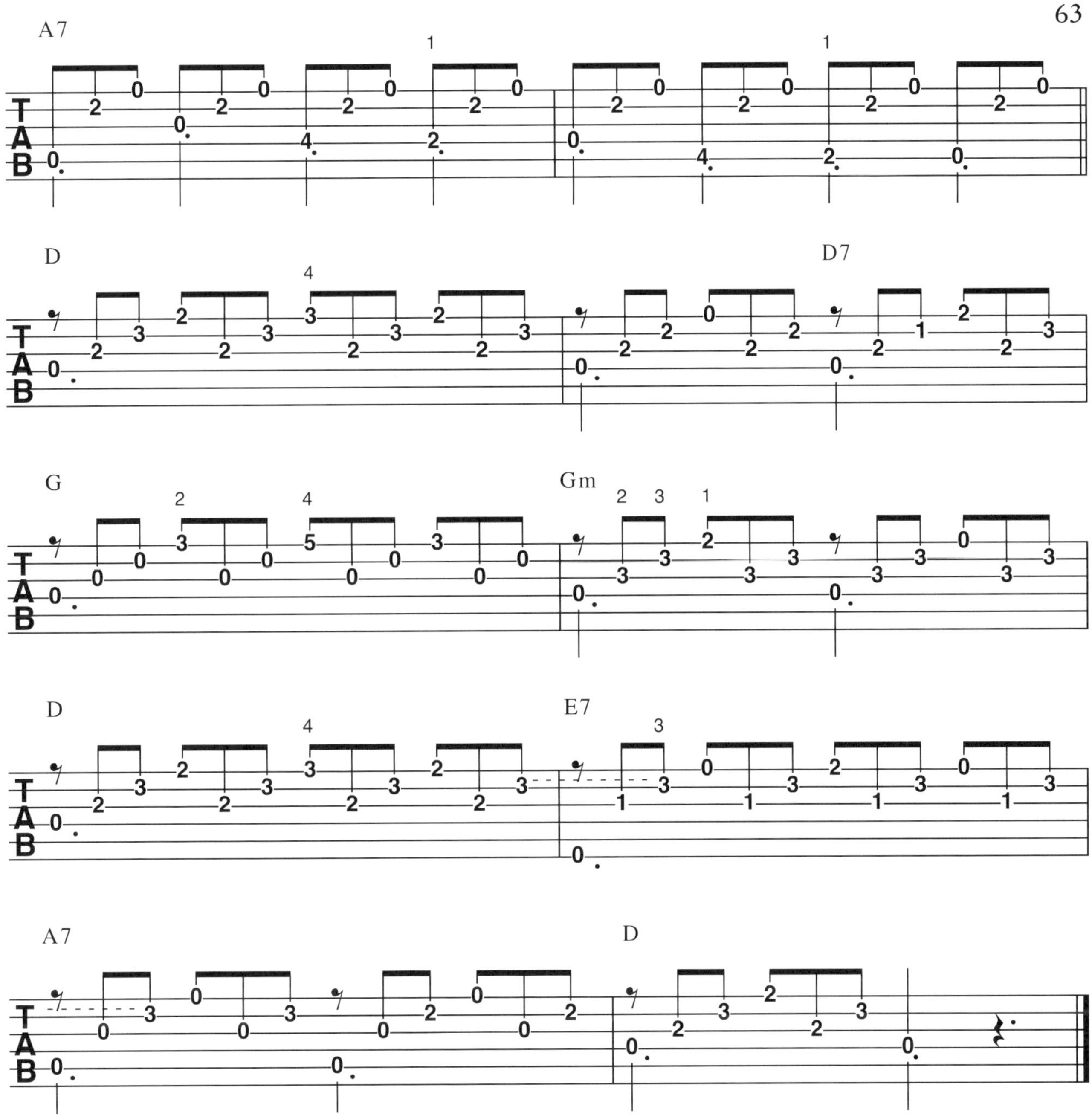

„Lass mich erzählen“
Zwei vierstimmige Zerlegungen:
Zerlegung 1: p-i-m - a-i-m - a-i-m - a-i-m
Zerlegung 2: p-i-m - p-i-m - p-i-m - p-i-m

Da reden zwei Freunde miteinander, die sich wirklich viel zu erzählen haben. Eine Idee geht in die andere über. Genauso sollen auch die Akkorde nahtlos ineinander übergehen.

Zum technischen Aspekt ein kurzer Gedanke: Die Gitarre ist ein sehr grifforientiertes Instrument. Zum Einstieg lernt man einzelne Griffmuster zu den Akkordsymbolen und übt dazu möglichst schnelles Umgreifen. Einige Beispiele in dieser Ausgabe sollen zeigen, um wieviel einfacher die Verbindung von Akkorden durch kluge, flexible Fingersätze wird.
Als Beispiel der gewohnte D-Dur-Griff in den Takten 1 und 9:
1) In Takt 1 greife den Akkord mit 1-3-2, um den 4. Finger frei für die Wechselnote am 3. Bund auf der 1. Saite zu haben.
2) In Takt 9 greife den Akkord mit 2-4-3, um besser zum 1. Bund auf der 3. Saite und dann zu den Bassnoten im nächsten Takt wechseln zu können.

Radfahren im Regen

So schnell wie möglich

Michael Langer

„Radfahren im Regen“
Dreistimmige Zerlegung: p-i-m - p-i-m - p-i-m - p-i-m

In diesem Stück höre ich mich mit schnellen, bestimmten Pedaltritten gegen die gleichmäßig niedertrommelnden Regentropfen ankämpfen.

Wie kann ich auf der Gitarre diese Gleichmäßigkeit und Schnelligkeit erreichen?
Es gibt grundsätzlich 3 Anschlagsarten:
Der freie Anschlag, das gleichzeitige Ansetzen und die Schalterbewegung

Der freie Anschlag ist hier musikalisch ideal, da alle Saiten möglichst lange ineinanderklingen können.
Gleichzeitiges Ansetzen von p-i-m bringt zwar mehr Sicherheit, dämpft aber nach jeder Dreiergruppe die Saiten ab und reduziert so den möglichen Zusammenklang.
Die Schalterbewegung entspricht dem Übeprinzip des "play slow - move fast" perfekt.
Schon im langsamen Tempo führt man eine sehr schnelle Bewegung aus. Dieser Trainingseffekt kommt einem dann im gesteigerten Tempo zugute - die beste Schule, um Schnelligkeit und Gleichmäßigkeit zu trainieren.

Radfahren im Regen

So schnell wie möglich

Michael Langer

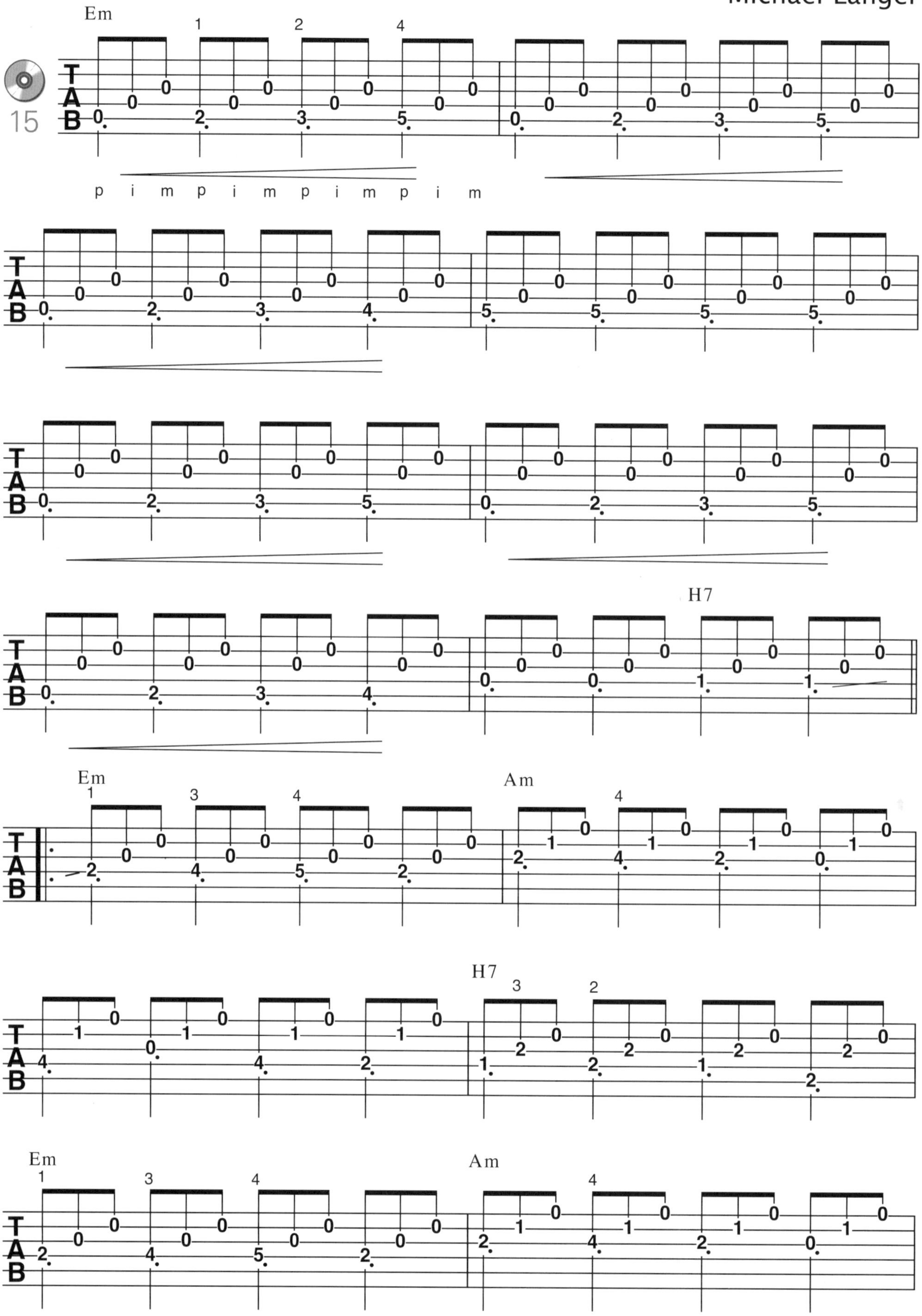

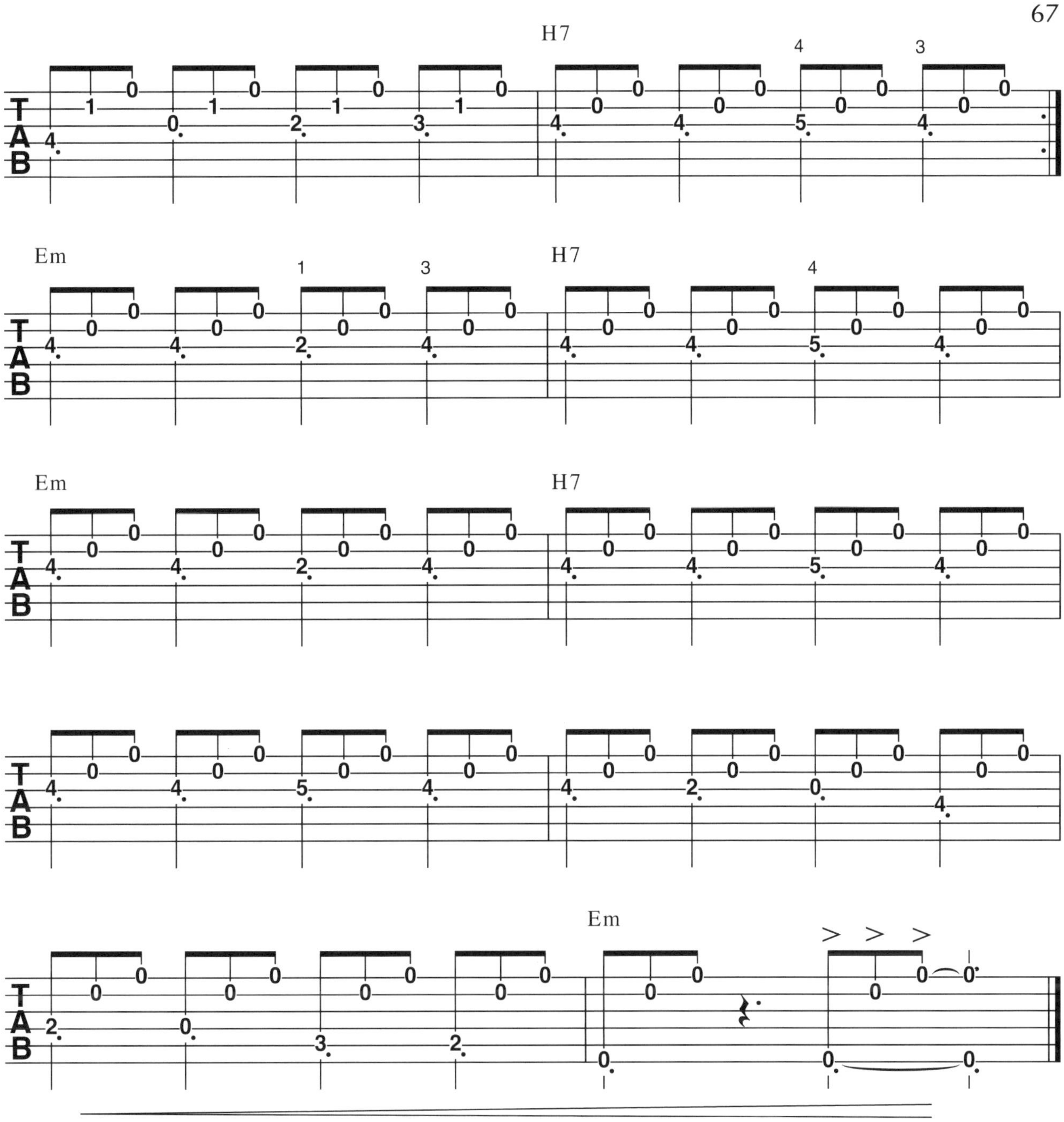

„Radfahren im Regen“
Dreistimmige Zerlegung: p-i-m - p-i-m - p-i-m - p-i-m

In diesem Stück höre ich mich mit schnellen, bestimmten Pedaltritten gegen die gleichmäßig niedertrommelnden Regentropfen ankämpfen.

Wie kann ich auf der Gitarre diese Gleichmäßigkeit und Schnelligkeit erreichen?
Es gibt grundsätzlich 3 Anschlagsarten:
Der freie Anschlag, das gleichzeitige Ansetzen und die Schalterbewegung

Der freie Anschlag ist hier musikalisch ideal, da alle Saiten möglichst lange ineinanderklingen können.
Gleichzeitiges Ansetzen von p-i-m bringt zwar mehr Sicherheit, dämpft aber nach jeder Dreiergruppe die Saiten ab und reduziert so den möglichen Zusammenklang.
Die Schalterbewegung entspricht dem Übeprinzip des "play slow - move fast" perfekt. Schon im langsamen Tempo führt man eine sehr schnelle Bewegung aus. Dieser Trainingseffekt kommt einem dann im gesteigerten Tempo zugute - die beste Schule, um Schnelligkeit und Gleichmäßigkeit zu trainieren.

Schöner Tag und offner Wagen

Entspannt und gemächlich

Michael Langer

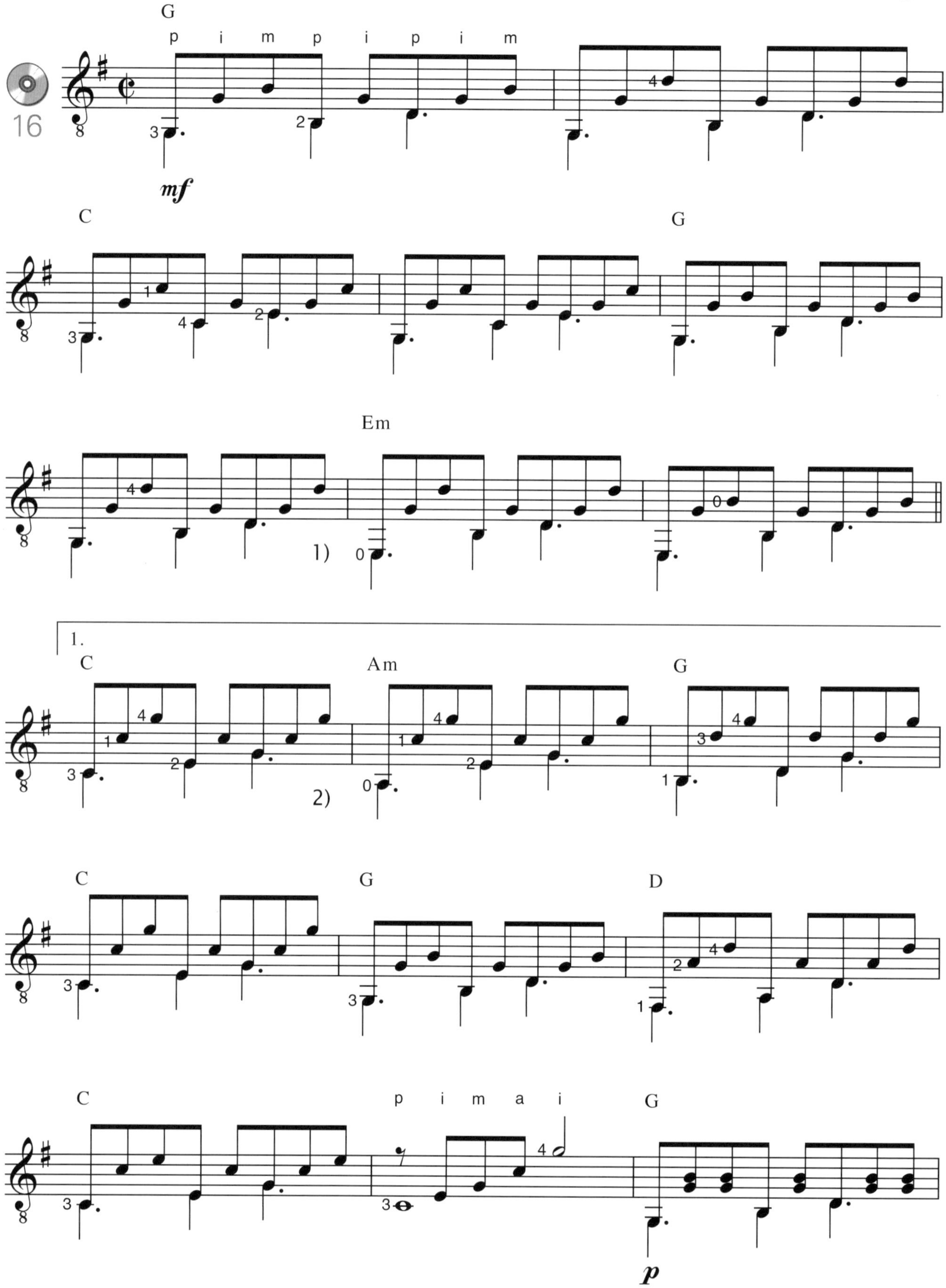

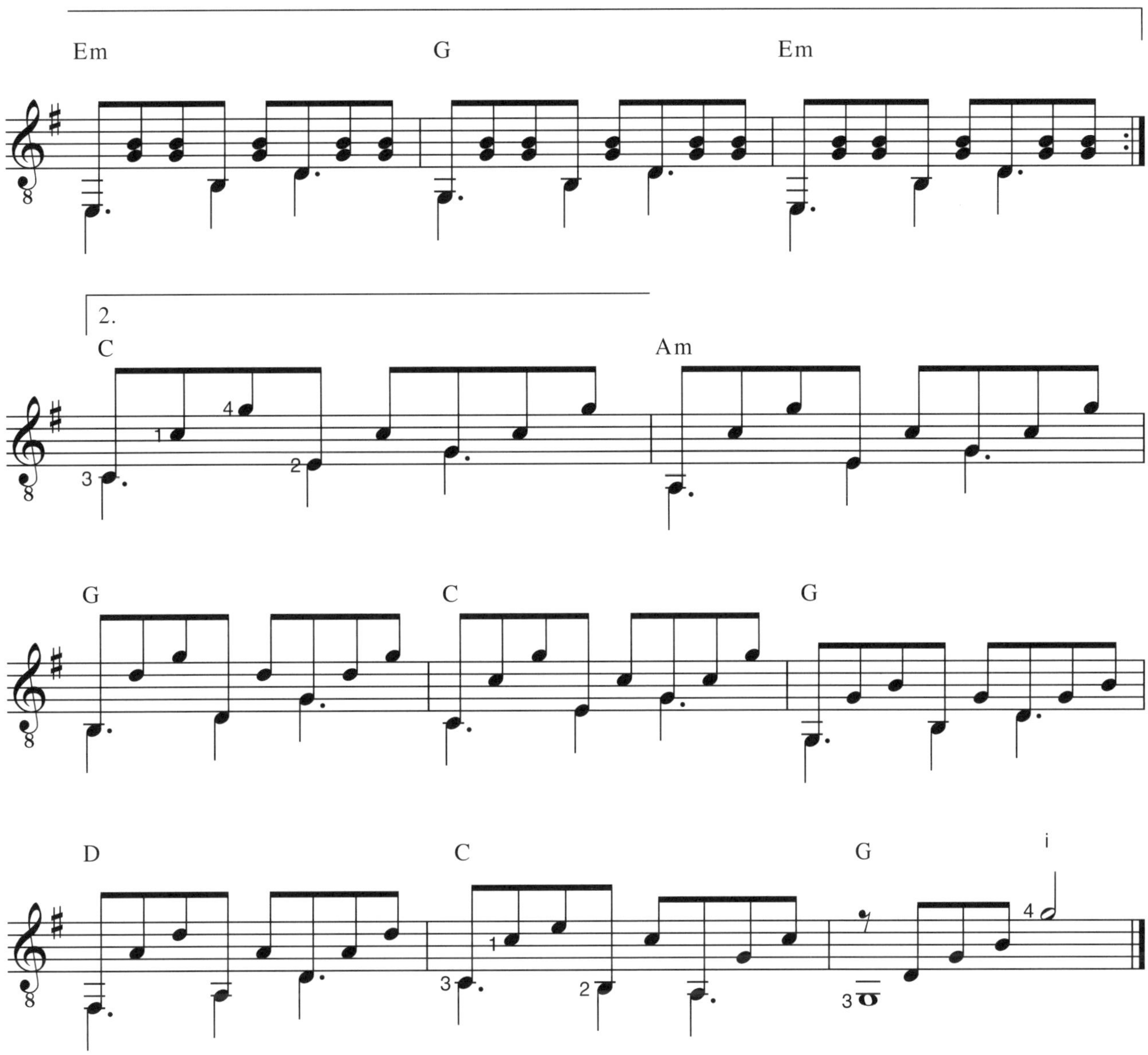

„Schöner Tag und offner Wagen"
Durchgehend vierstimmige Zerlegung: p-i-m-p-i-p-i-m

Sonnige Küstenstraße in Kalifornien, wir fahren entspannt ans Meer, mehr ist heute nicht zu tun ...

Das musikalisch Interessante an diesem Lied ist der 3-2-3-Rhythmus.
Rhythmus braucht Artikulation: Bitte artikuliere in dieser Akkordzerlegung die Bässe! Zählzeit 1: lang (Schwerpunkt) - 2+: kurz (Synkope) - 3+: lang (Auftakt)
Allerdings darf das Stück dadurch nicht unrund werden. Oberstes Gebot: Entspannt bleiben!

1) Gemeinsame Töne beim Akkordwechsel können liegen bleiben!
Hier sind das: H (2. Finger), d' (4. Finger)
2) Gemeinsame Töne beim Akkordwechsel können liegen bleiben!
Hier sind das: e (2. Finger), c' (1. Finger), g' (4. Finger)

Schöner Tag und offner Wagen

Michael Langer

Entspannt und gemächlich

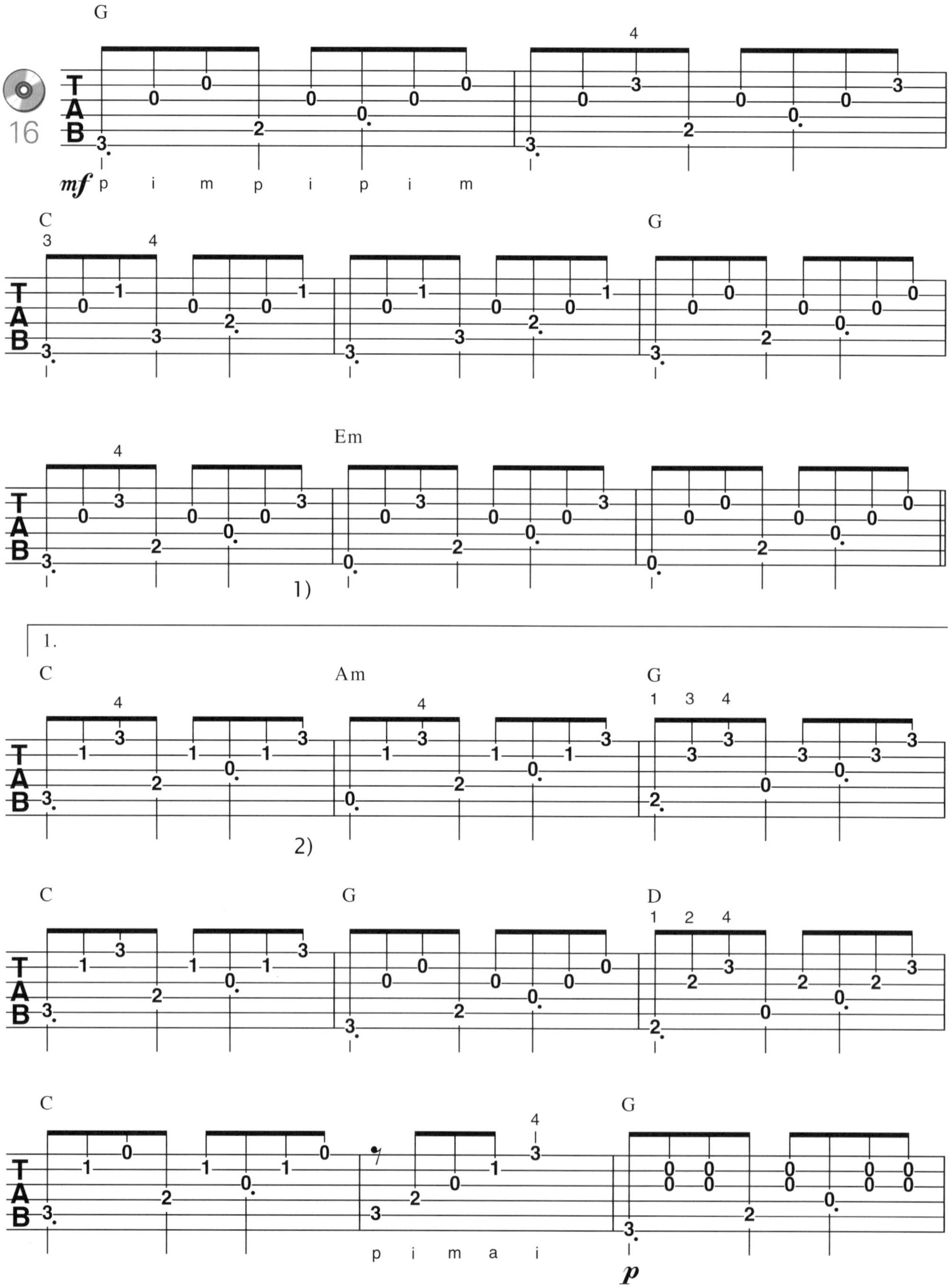

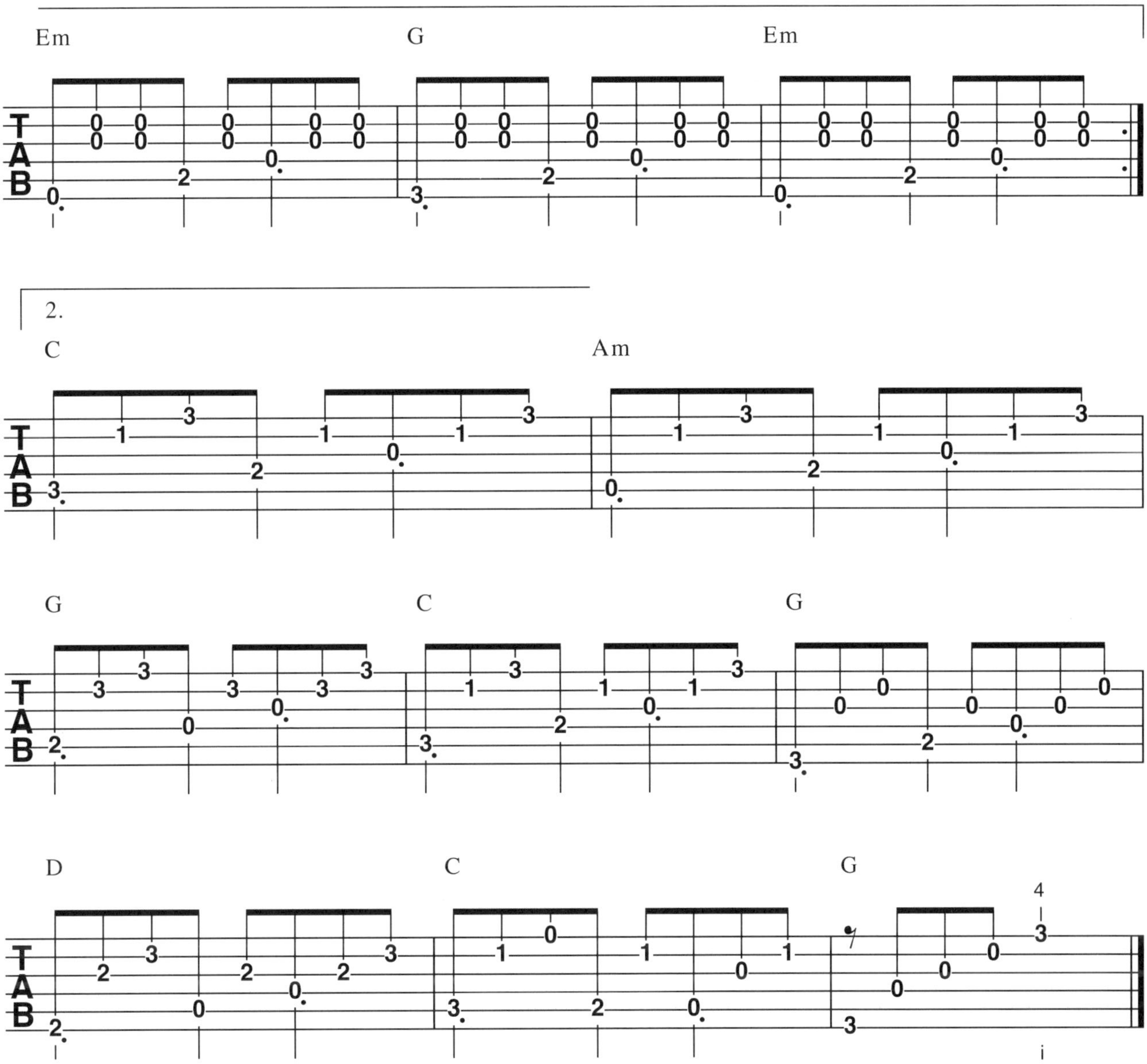

„Schöner Tag und offner Wagen“
Durchgehend vierstimmige Zerlegung: p-i-m-p-i-p-i-m

Sonnige Küstenstraße in Kalifornien, wir fahren entspannt ans Meer, mehr ist heute nicht zu tun ...

Das musikalisch Interessante an diesem Lied ist der 3-2-3-Rhythmus. Rhythmus braucht Artikulation: Bitte artikuliere in dieser Akkordzerlegung die Bässe! Zählzeit 1: lang (Schwerpunkt) - 2+: kurz (Synkope) - 3+: lang (Auftakt) Allerdings darf das Stück dadurch nicht unrund werden. Oberstes Gebot: Entspannt bleiben!

1) Gemeinsame Töne beim Akkordwechsel können liegen bleiben!
Hier sind das: 2. Bund, 5. Saite (2. Finger), 3. Bund, 2. Saite (4. Finger)
2) Gemeinsame Töne beim Akkordwechsel können liegen bleiben!
Hier sind das: 2. Bund, 4. Saite (2. Finger), 1. Bund, 2. Saite (1. Finger), 3. Bund, 1. Saite (4. Finger)

Fahr mit mir nach Oviedo

Michael Langer

Abenteuerlustig

„Fahr mit mir nach Oviedo"
Vierstimmige Zerlegung: p-i-m-a und Variationen

„Fahr mit mir nach Oviedo, ich möchte mit dir alleine sein!", sagte der spanische Maler im Film zur amerikanischen Touristin. Ich fragte mich: womit? Mit welchem Verkehrsmittel fahren die zwei jetzt dorthin?
Es ist eine wuchtige Maschine geworden, ein Zweitakter.

Musikalisch gesprochen: Zwei Takte gehören zusammen. Es beginnt mit einer schweren Umdrehung ins Leere: Schwerpunkt auf Zählzeit 1, dann decrescendo. Der jeweils zweite Takt beginnt leicht und führt direkt mit Crescendo in die nächste Gruppe.

Grundlage für dieses Bild ist das Verhältnis der Harmonien zueinander. Selbst die herkömmlichsten Harmoniefolgen stehen in einem Verhältnis von Spannung und Entspannung. Versuche die Kraft einer spannungsreichen Harmonie zu spüren, die sich in den nächsten Akkord, in den nächsten Takt auflösen möchte, und dieses schöne Fahrzeug wird sich in Bewegung setzen ...

Bevorzugte Anschlagsart: Gleichzeitig Ansetzen von p-i-m-a bzw. p-i-m am Anfang der Takte. Dadurch kommt die Rhythmik der wechselnden Taktarten noch deutlicher heraus.

Fahr mit mir nach Oviedo

Michael Langer

Abenteuerlustig

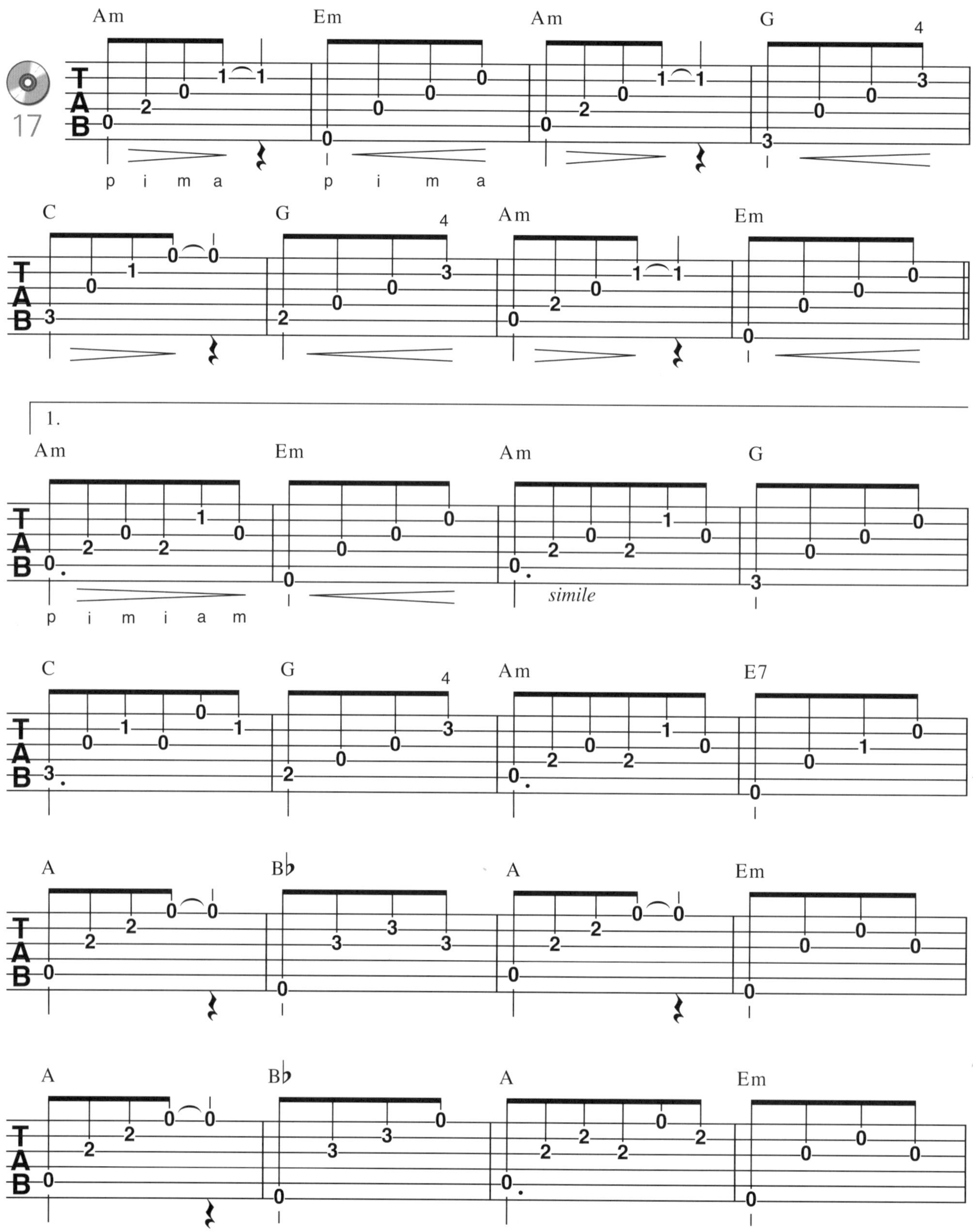

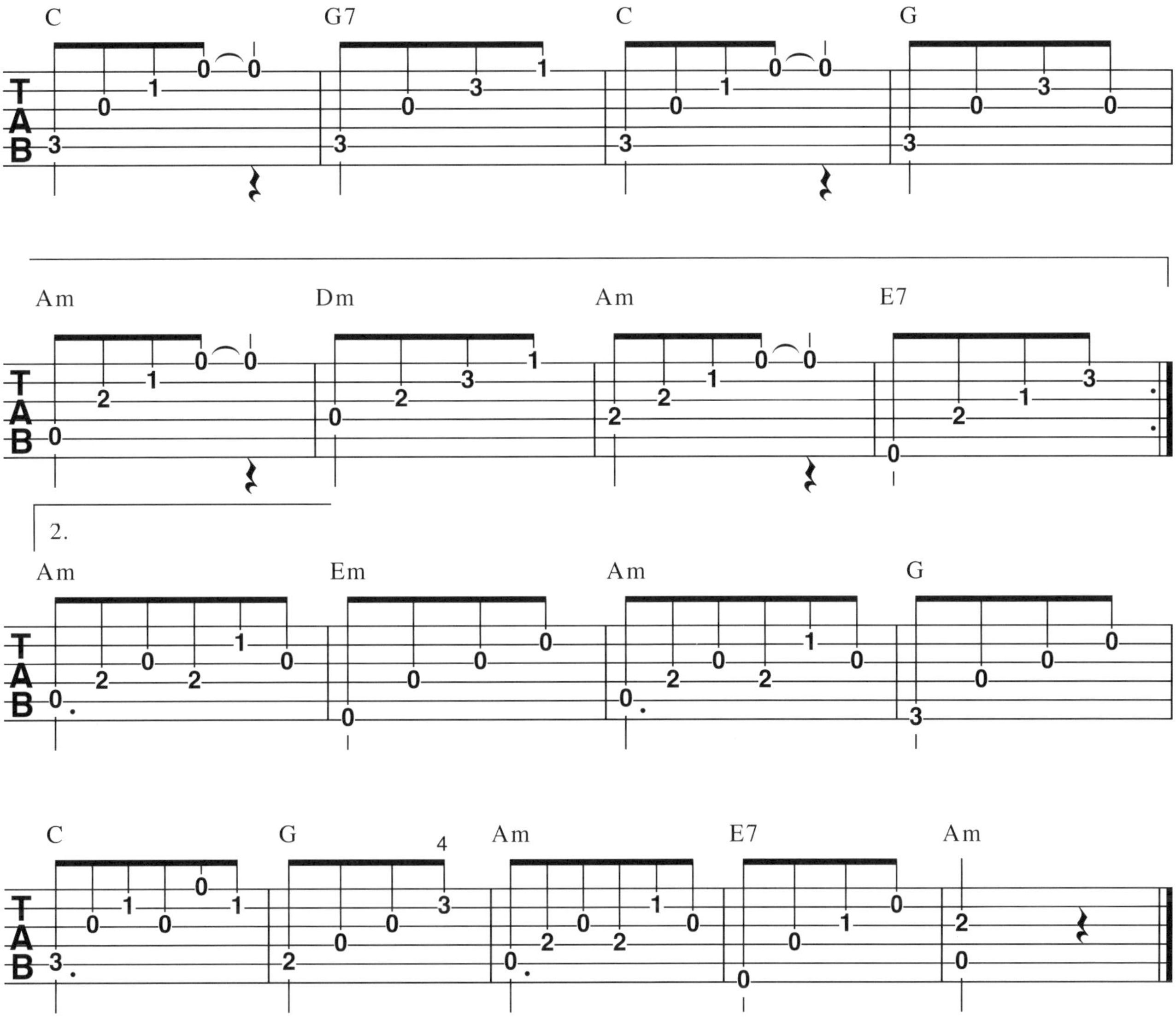

„Fahr mit mir nach Oviedo"
Vierstimmige Zerlegung: p-i-m-a und Variationen

„Fahr mit mir nach Oviedo, ich möchte mit dir alleine sein!", sagte der spanische Maler im Film zur amerikanischen Touristin. Ich fragte mich: womit? Mit welchem Verkehrsmittel fahren die zwei jetzt dorthin?
Es ist eine wuchtige Maschine geworden, ein Zweitakter.

Musikalisch gesprochen: Zwei Takte gehören zusammen. Es beginnt mit einer schweren Umdrehung ins Leere: Schwerpunkt auf Zählzeit 1, dann decrescendo. Der jeweils zweite Takt beginnt leicht und führt direkt mit Crescendo in die nächste Gruppe.

Grundlage für dieses Bild ist das Verhältnis der Harmonien zueinander. Selbst die herkömmlichsten Harmoniefolgen stehen in einem Verhältnis von Spannung und Entspannung. Versuche die Kraft einer spannungsreichen Harmonie zu spüren, die sich in den nächsten Akkord, in den nächsten Takt auflösen möchte, und dieses schöne Fahrzeug wird sich in Bewegung setzen ...

Bevorzugte Anschlagsart: Gleichzeitig Ansetzen von p-i-m-a bzw. p-i-m am Anfang der Takte. Dadurch kommt die Rhythmik der wechselnden Taktarten noch deutlicher heraus.

Water Drum

Michael Langer

Friedlich, aber streng rhythmisch

„Water Drum“
Zwei Zerlegungen:
Zerlegung 1 (dreistimmig): pi - p - p - p-i | p-i - p - m - i (zweitaktiges Pattern)
Zerlegung 2 (vierstimmig): p - i - m - a-i | p-i - p - m - a (zweitaktiges Pattern)

So klingt meine Vorstellung von einem Schlagzeug, das nicht aus Trommeln, sondern aus mit Wasser gefüllten Gläsern besteht.
Halte das ganze Stück lang den gleichmäßigen Puls durch - wie der Schlagzeuger einer Pop-Band. Egal wie sich Harmonie oder Melodie verändern und dich in eine Richtung ziehen wollen, egal was du dynamisch machst – deine Viertel- und Achtelnoten müssen „picken“!

Water Drum

Michael Langer

Friedlich, aber streng rhythmisch

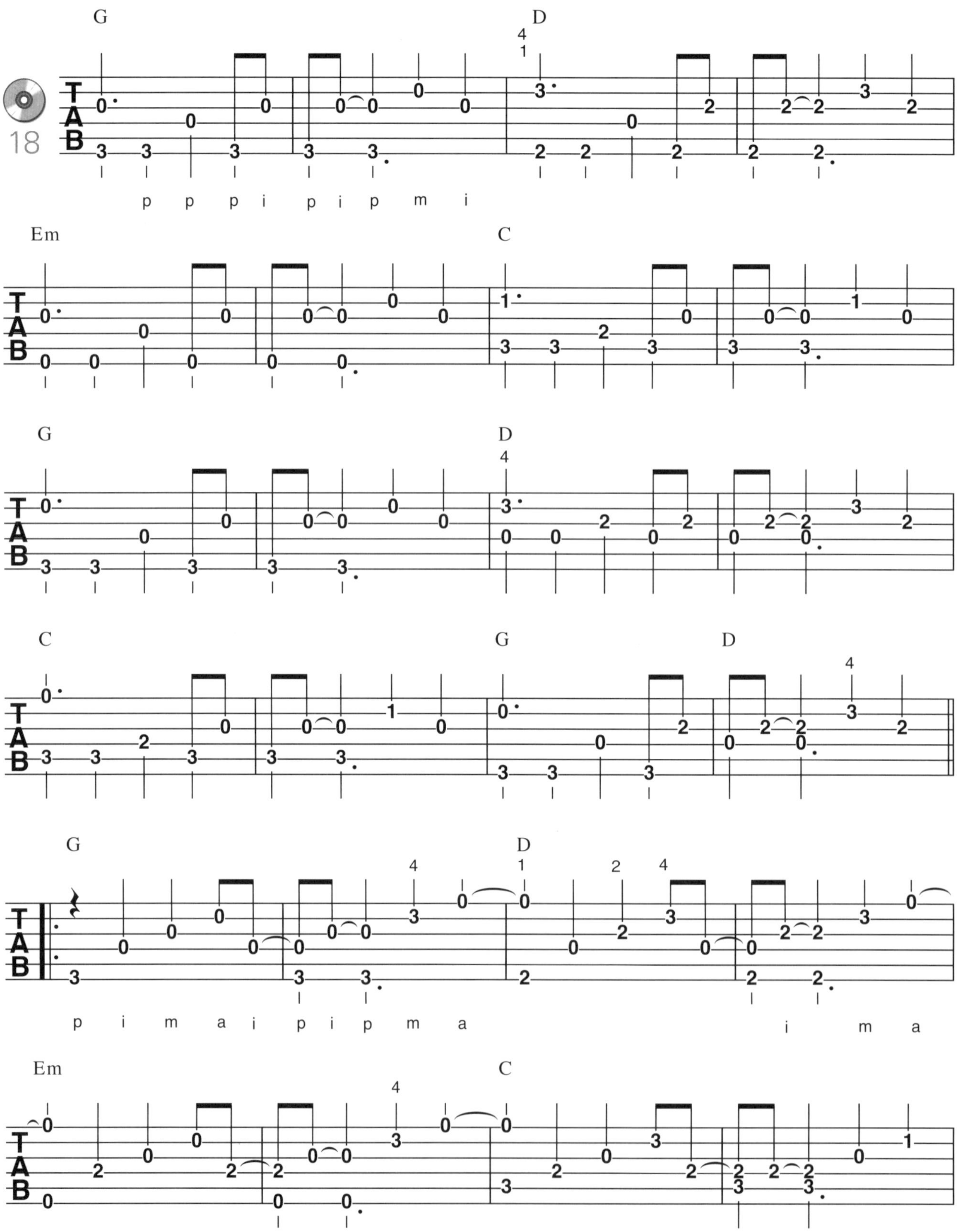

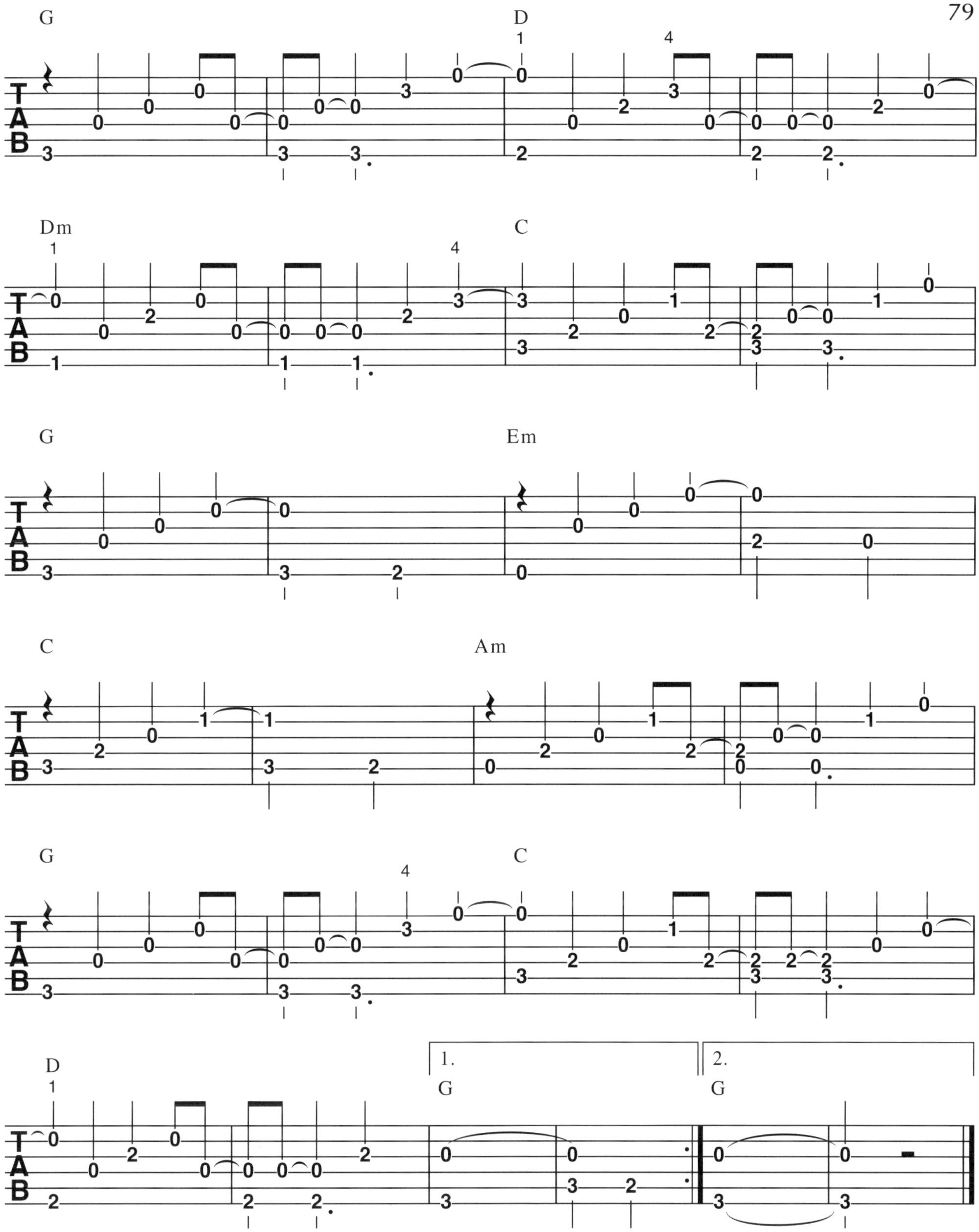

„Water Drum“
Zwei Zerlegungen:
Zerlegung 1 (dreistimmig): pi - p - p - p-i | p-i - p - m - i (zweitaktiges Pattern)
Zerlegung 2 (vierstimmig): p - i - m - a-i | p-i - p - m - a (zweitaktiges Pattern)

So klingt meine Vorstellung von einem Schlagzeug, das nicht aus Trommeln, sondern aus mit Wasser gefüllten Gläsern besteht.
Halte das ganze Stück lang den gleichmäßigen Puls durch - wie der Schlagzeuger einer Pop-Band. Egal wie sich Harmonie oder Melodie verändern und dich in eine Richtung ziehen wollen, egal was du dynamisch machst – deine Viertel- und Achtelnoten müssen „picken“!

Im Tanzpalast

Swingend

Michael Langer

19

„Im Tanzpalast“
Vierstimmige Zerlegung: p-a-m-i-p-a-m-i mit Variationen

Ein verspiegelter Tanzsaal im vergangenen Jahrhundert, schwarzbefrackte Herren mit zurückgegelten Haaren und weißen Handschuhen. Der Kontrabass groovt lässig vor sich hin, die Saxofone swingen, der Schlagzeuger kreist mit dem Jazzbesen auf der Snare und setzt entspannte Akzente auf die 2 und 4.

In Notenschrift ist die Swingphrasierung nicht einfach umzusetzen: Die Punktierungen sollen ganz weich gespielt werden, wie Triolen.

Der Bass spielt eigentlich halbe Noten, im sogenannten „Half-Time-Feeling“, die allerdings nicht durchklingen sollen. Ich habe sie als Viertel mit Pause notiert. Am Einfachsten kannst du die Pause spielen, wenn du den Daumen auf die betreffende Saite setzt - durch dieses Dämpfen ergibt sich auch eine Art Markierung: So kannst du die entspannten Akzente des Schlagzeugers auf 2 und 4 auch noch verwirklichen.

Im Tanzpalast

Michael Langer

Swingend

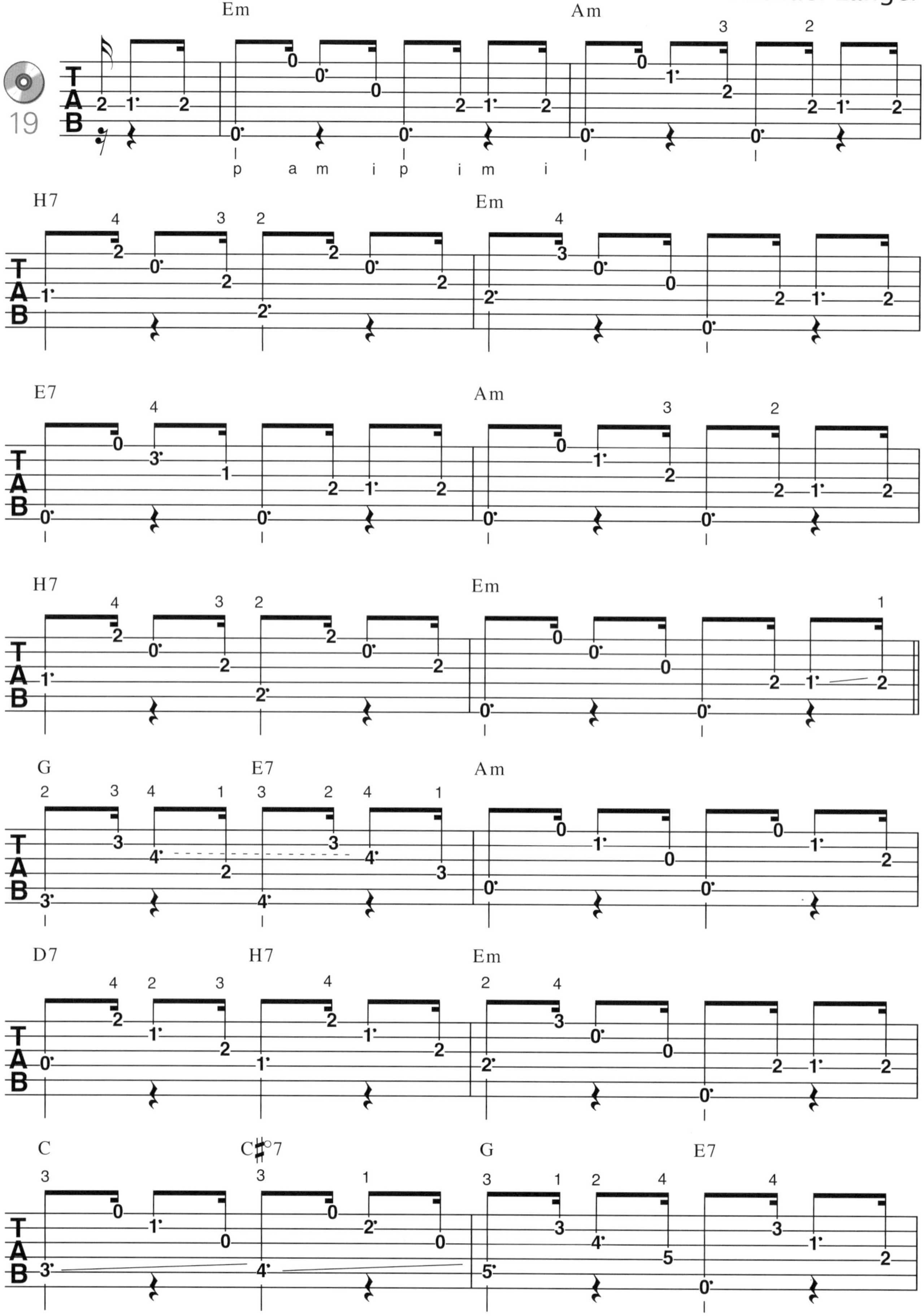

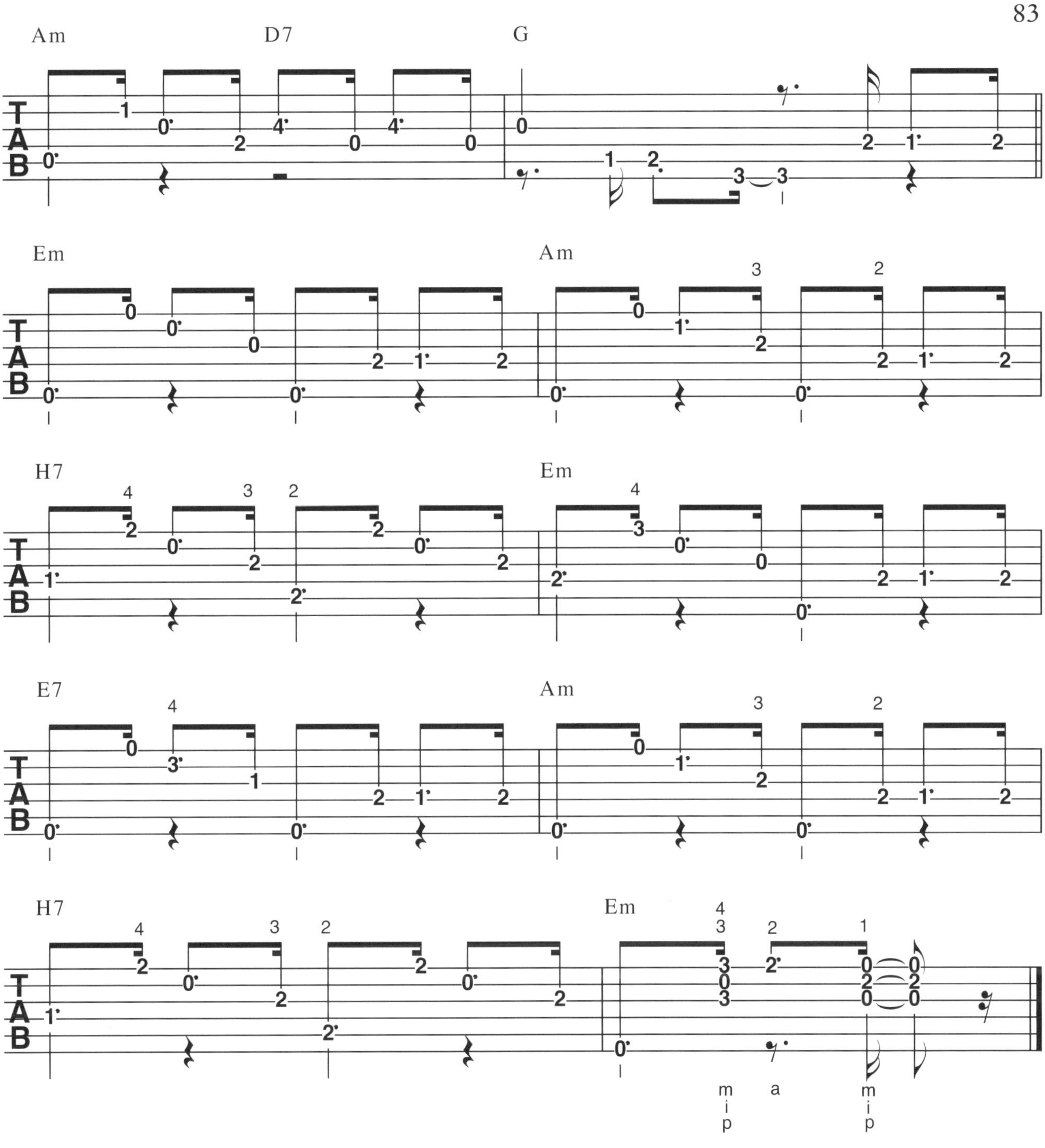

„Im Tanzpalast“
Vierstimmige Zerlegung: p-a-m-i-p-a-m-i mit Variationen

Ein verspiegelter Tanzsaal im vergangenen Jahrhundert, schwarzbefrackte Herren mit zurückgegelten Haaren und weißen Handschuhen. Der Kontrabass groovt lässig vor sich hin, die Saxofone swingen, der Schlagzeuger kreist mit dem Jazzbesen auf der Snare und setzt entspannte Akzente auf die 2 und 4.

In Notenschrift ist die Swingphrasierung nicht einfach umzusetzen:
Die Punktierungen sollen ganz weich gespielt werden, wie Triolen.

Der Bass spielt eigentlich halbe Noten, im sogenannten „Half-Time-Feeling“, die allerdings nicht durchklingen sollen. Ich habe sie als Viertel mit Pause notiert. Am Einfachsten kannst du die Pause spielen, wenn du den Daumen auf die betreffende Saite setzt - durch dieses Dämpfen ergibt sich auch eine Art Markierung: So kannst du die entspannten Akzente des Schlagzeugers auf 2 und 4 auch noch verwirklichen.

Träum süß!

Michael Langer

Langsam mit viel Gefühl

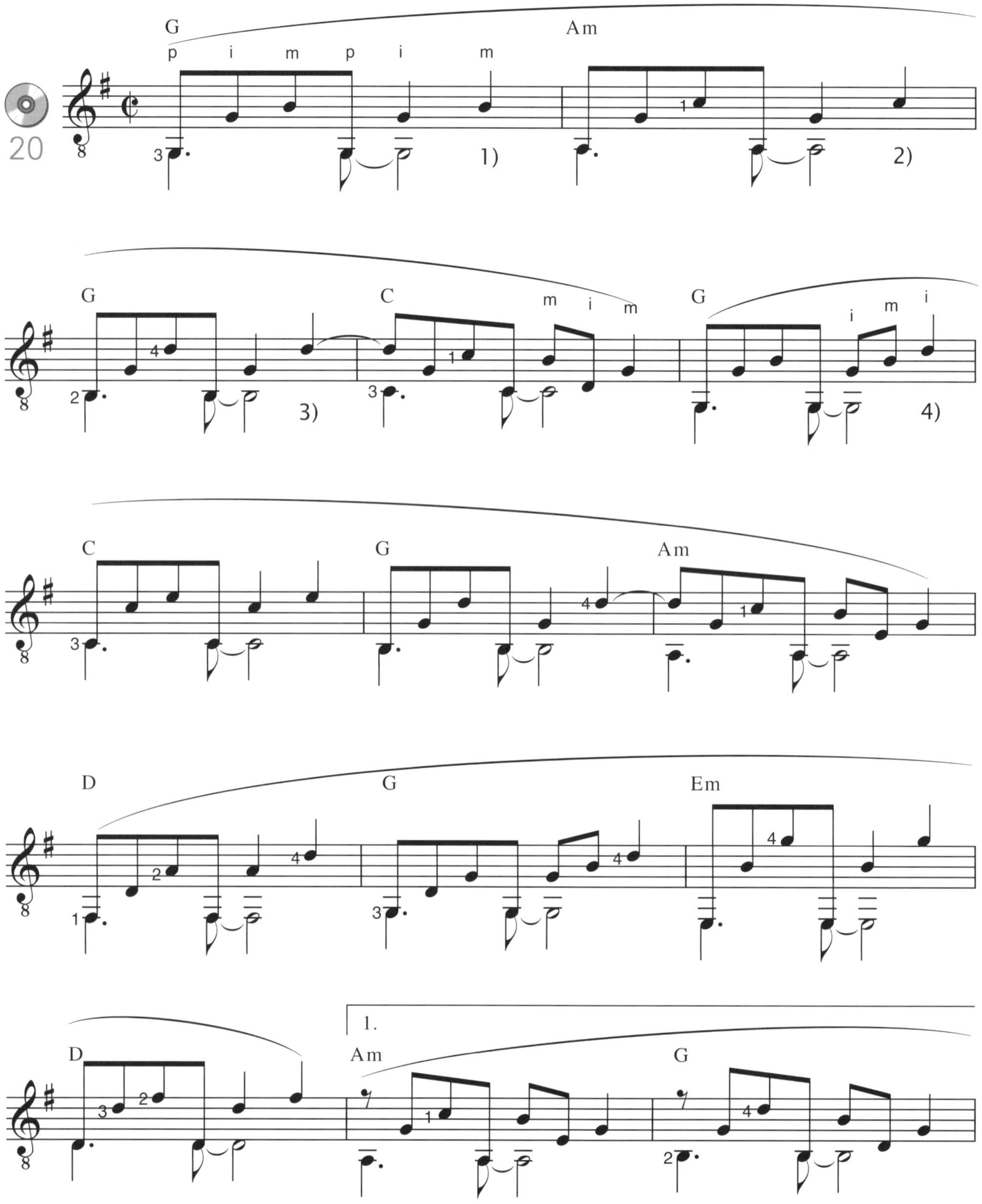

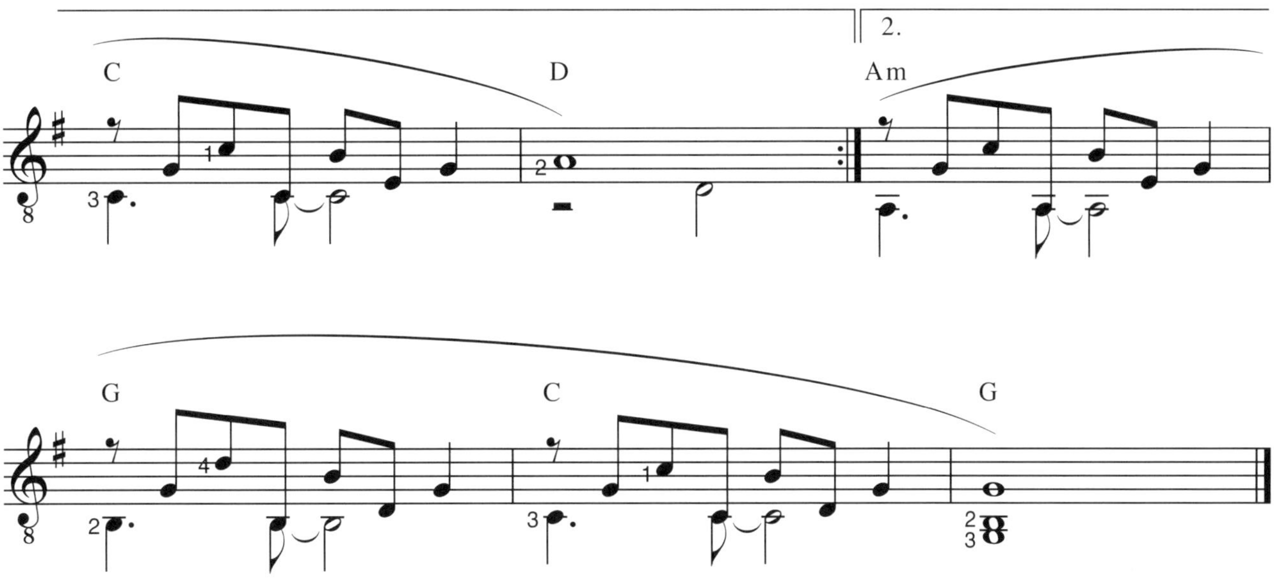

„Träum süß!“
Dreistimmige Zerlegung p-i-m-p - i - m mit Variationen

Hier noch ein ruhiges Schlaflied zum Schluss des ersten Bandes, dann schlafen, dann ausgeruht mit Band 2 weiterspielen ...

Grundlage dieses Stückes ist wieder eine Akkordzerlegung, aber diesmal mischen sich immer mehr melodische Elemente hinein.
Dieser Ansatz wird dann in Band 2 weitergeführt werden.

1) Führe das h in das c': Lass die h-Saite klingen, bis das c’ angeschlagen wird.

2) Führe das c’ in das d': Lass den 1. Finger liegen, bis das d' angeschlagen wird.

3) Führe das d’ in das c': Lass den 4. Finger liegen, bis das c' angeschlagen wird.

4) Die Melodie g-h-d' führt zum e'. Zwar muss man den 4. Finger hochheben, um das c' spielen zu können, aber die innere Vorstellung schafft den Bogen.
Diese Bögen, die dadurch entstehen, sollen immer vier Takte umspannen.

Träum süß!

Michael Langer

Langsam mit viel Gefühl

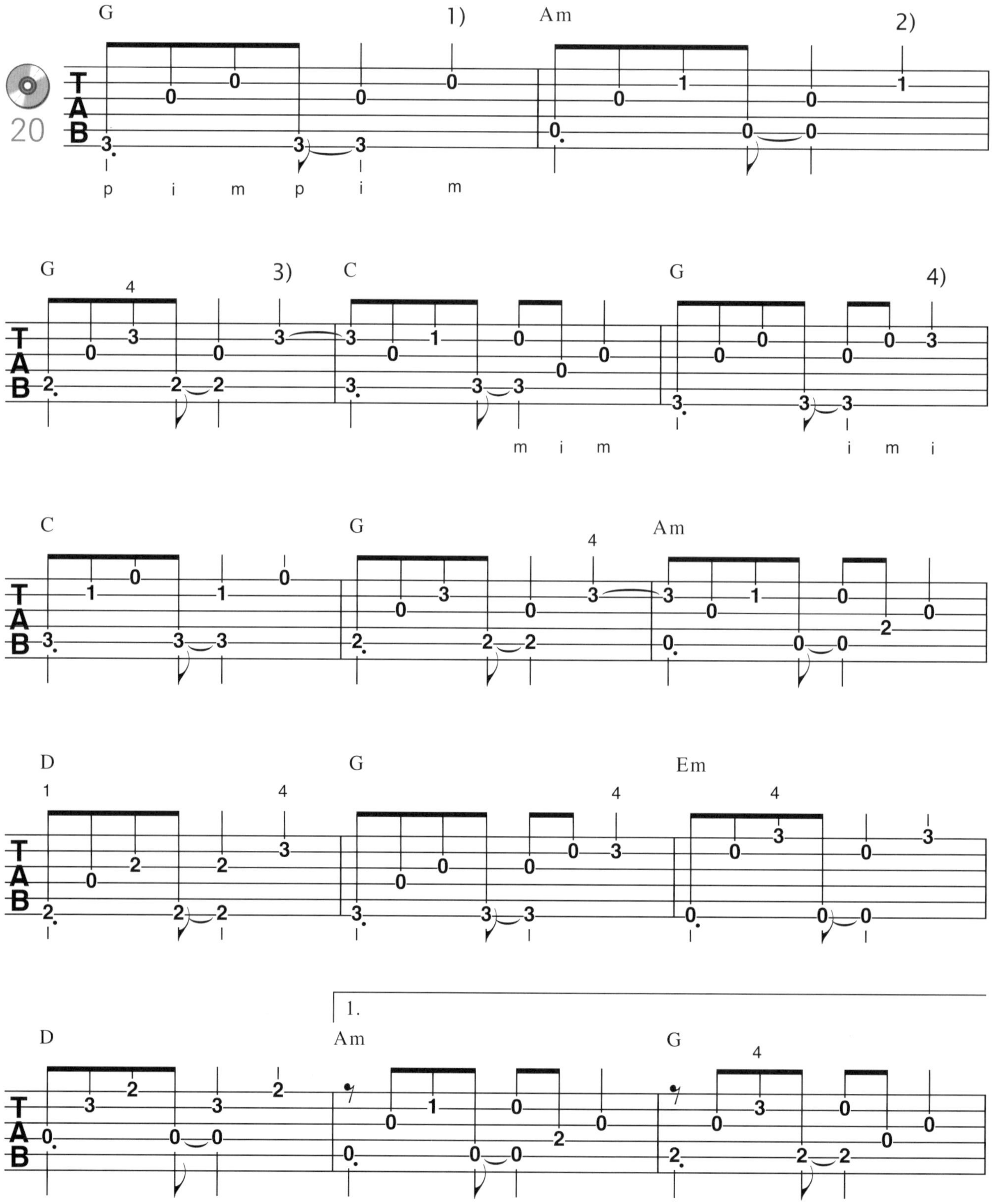

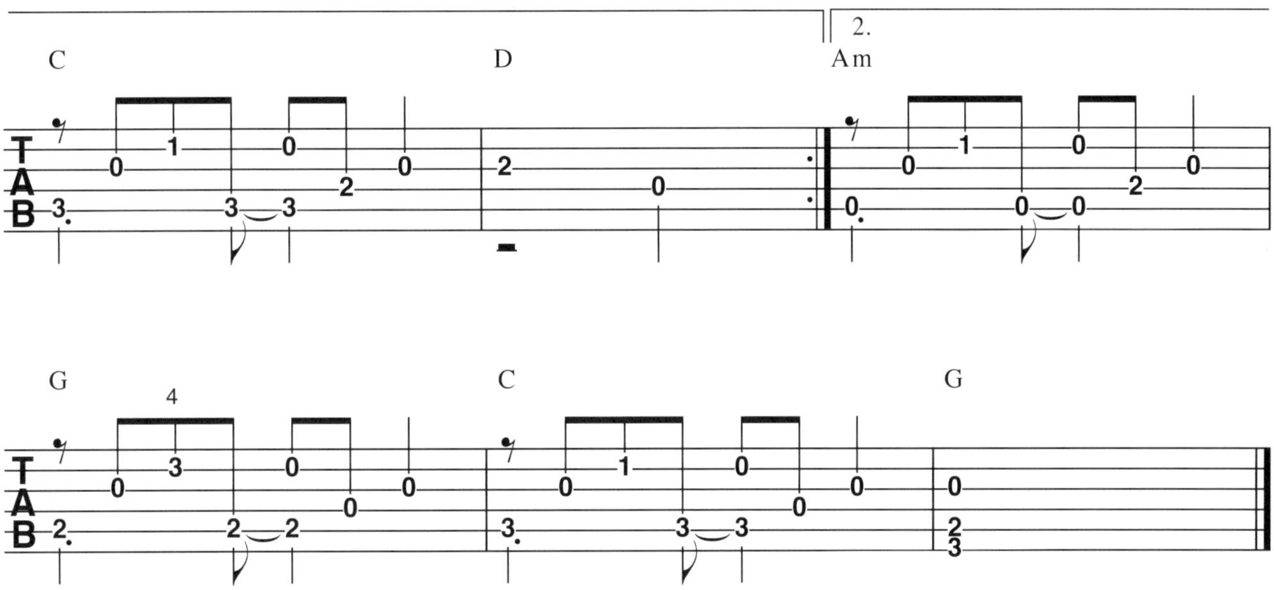

„Träum süß!"
Dreistimmige Zerlegung p-i-m-p - i - m mit Variationen

Hier noch ein ruhiges Schlaflied zum Schluss des ersten Bandes, dann schlafen, dann ausgeruht mit Band 2 weiterspielen ...

Grundlage dieses Stückes ist wieder eine Akkordzerlegung, aber diesmal mischen sich immer mehr melodische Elemente hinein.
Dieser Ansatz wird dann in Band 2 weitergeführt werden.

1) Beim Taktübergang: Lass die 2. Saite klingen, bis der Ton am 1. Bund angeschlagen wird.

2) Beim Taktübergang: Lass den 1. Finger liegen, bis der Ton am 3. Bund angeschlagen wird.

3) Beim Taktübergang: Lass den 4. Finger liegen, bis der Ton am 1. Bund angeschlagen wird.

4) Beim Taktübergang: Die Melodie führt zur leeren 1. Saite. Zwar muss man den 4. Finger hochheben, um die Note am 1. Bund spielen zu können, aber die innere Vorstellung schafft den Bogen.
Diese Bögen, die dadurch entstehen, sollen immer vier Takte umspannen.

CD-Trackliste

01	Mein Garten am Nil
02	Il Palagio
03	Ein guter Traum
04	Die Rede des Königs
05	Don't Be Shy
06	Die Wolken ziehen ab
07	Siebenschläfer
08	Mein Schaf dreht durch!
09	Tender To Forever
10	In der Warteschlange
11	Beinahe ein Tango
12	Rock Nr. 1
13	Wie ein Schwamm im Pool
14	Lass mich erzählen
15	Radfahren im Regen
16	Schöner Tag und offner Wagen
17	Fahr mit mir nach Oviedo
18	Water Drum
19	Im Tanzpalast
20	Träum süß!